D1328032

ARTES MINORES

ARTES MINORES

DANK AN WERNER ABEGG

HERAUSGEGEBEN
VON MICHAEL STETTLER
UND
MECHTHILD LEMBERG

MIT 9 FARBIGEN UND 174 SCHWARZWEISSEN
ABBILDUNGEN

VERLAG STÄMPFLI & CIE AG · BERN 1973

INHALTSVERZEICHNIS

ZUM GELEIT

Am 9. Dezember 1973 vollendet Werner Abegg sein siebzigstes Lebensjahr. Der Tag gibt dem von ihm begründeten Institut der Abegg-Stiftung Bern in Riggisberg willkommenen Anlass, ihm mit diesem Buch seine Glückwünsche darzubringen und ihn seiner dankbaren Verbundenheit zu versichern. Der Kreis der Beiträger wurde innerhalb der Mitarbeiter des Instituts und jener Persönlichkeiten gezogen, die an dessen Gründung und Führung aufs engste mitbeteiligt sind. Die Beschränkung erwies sich als notwendig, weil angesichts der weltumspannenden Beziehungen des Jubilars sich entweder eine viel zu umfangreiche oder aber eine zu ungleiche Beteiligung mit nicht zu verantwortenden Auslassungen ergeben hätte.

Den Beiträgen des Buches dient jeweils ein Sammlungsgegenstand der Stiftung oder eine in der Textilkonservierungswerkstatt ausgeführte Arbeit als Ausgangspunkt; zeitlich reichen sie von der byzantinischen bis zur manieristischen Kunst. Die übrigen Sammlungsgruppen in Riggisberg – Iran, Ägypten, auch der späte italienische Barock, dem die besondere Liebe Werner Abeggs gehört – sind darin nicht vertreten. Die Reihe der Monographien, die die Abegg-Stiftung herausgibt, wird aber mit der Zeit alle Gebiete einbeziehen, denen das Interesse des Sammlers gilt. Als Gratulationsstrauss möchte der vorliegende Band dem Stifter bekunden, wie sein Werk, sei es in Konservierung und Forschung, sei es als Tagungszentrum und Sammlungsdarbietung, lebendig ist und den Tag überdauern will. Dass er mit seiner Gattin sich an diesem Werk wie bisher anteilnehmend freue, ist unser aller herzlicher Wunsch.

Riggisberg, im Sommer 1973   Michael Stettler
                                                                    Mechthild Lemberg

ZWEI SEIDENGEWEBE ALS ZEUGNISSE DER WECHSELWIRKUNG VON BYZANZ UND ISLAM

VON SIGRID MÜLLER-CHRISTENSEN

Es war ein schöner Zufall, dass mir, eben als ich überlegte, welches Gewebe ich als Geburtstagsgruss für Herrn Werner Abegg publizieren könnte, ein goldbroschiertes Samittum bekannt wurde [1], das im folgenden – zusammen mit zwei bedeutenden Geweben in den Sammlungen der Abegg-Stiftung – erstmals besprochen werden soll.

1964 war in der ehemaligen Augustiner-Chorherrenstiftskirche St. Peter und Johannes in Berchtesgaden [2] bei der Erstellung einer Heizanlage und bei der Restaurierung der Gebäude im westlichen Teil des nördlichen Seitenschiffes die Grablege der Stiftspröpste Peter II. Pienzenauer (gestorben 1432) und Bernhard III. Leoprechtinger (gestorben 1473) geöffnet worden. Wegen der Bauarbeiten erfolgte die Bergung der in dem kleinen Grabraum gefundenen Textilien leider in Eile und ohne Zuziehung von Spezialisten. Die darauffolgenden Manipulationen waren gut gemeint: die Gewebe wurden gewaschen und so zugeschnitten, dass sich relativ gut erhaltene Fragmente ergaben, die teils im Pfarrhaus, teils im Heimatmuseum Berchtesgaden aufbewahrt werden. Durch Nachfragen erfuhr ich, dass aus dem Grab entnommen wurden: ein Seidenstoff mit Greifen und Panthern [3], ein dünner Seidenstoff mit jagenden Hunden, ein Damastgewebe, Taftreste sowie ein gestickter Streifen und ein Paar goldbestickte Schuhe. Mit Ausnahme des erstgenann-

---

[1] Dankbar nenne ich vor allem den Namen von Herrn DR. SIGMUND BENKER, Bayerisches Landesamt für Denkmalpflege, München.

[2] F. MARTIN, Berchtesgaden, Die Fürstpropstei der Regulierten Chorherren, Augsburg 1923.

[3] Masse: 1) H. 33 cm, Br. 20,5 cm. 2) H. 24 cm, Br. 14 cm. 3) H. 19 cm, Br. 14,5 cm. 4) H. 29 cm, Br. 17,5 cm. 5) H. 42,5 cm, Br. 45 cm. 6) H. 61 cm, Br. 29 cm. 7) H. 50 cm, Br. 30 cm. 8) H. 55 cm, Br. 37 bzw. 28 cm. 9) H. 23,5 cm, Br. 28 cm.
Seidengewebe, Samittum, broschiert.
Bindung: Köper-Schuss-Kompositbindung, 1/2 S.
Kette: auf 1 Hauptkette 1 Bindekette, jetzt goldbraun, leichte Z-Drehung, je 28 /cm.
Schuss: 2 Schüsse, gelblich-braun und rot, ohne Drehung, je 32 /cm. 2 Broschierschüsse: Häutchengold, Z-gesponnen um Seidenseele, oxydiert, 32 /cm. – Grüner Seidenfaden, ohne Drehung, 32 /cm.
Rapport: H. 41 bis 47 cm, Br. 26,5 bis 28 cm.
Besatzstreifen, Samittum, einfarbig, 1/2 S.
Kette: auf 1 Hauptkette 1 Bindekette, jetzt gelblich, Z-Drehung, je 32 /cm.
Schuss: 2 Schüsse, gelblich-braun, ohne Drehung, je 48 bis 52 /cm.

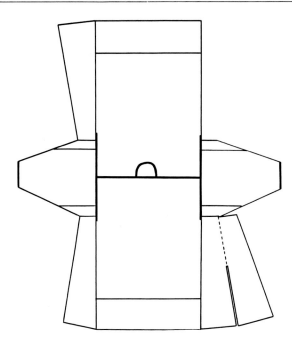

Schnittmuster der Tunika des Erzbischofs Rodrigo Ximenez de Rada
im Kloster Santa Maria de Huerta bei Madrid.

ten Gewebes handelt es sich um Objekte des 14. und 15. Jahrhunderts. Der Seidenstoff mit der Darstellung von Greifen und Panthern aber ist wesentlich älter. Dies ist nicht überraschend. Denn es ist häufig zu beobachten, dass im Mittelalter bei Bestattungen bedeutender Persönlichkeiten Gewänder verwendet wurden, die von historischen Traditionen zeugen.

Die ursprüngliche Form dieses sehr zerstörten Gewandes wurde bei der Bergung der Stoffe aus dem Grab nicht verifiziert. Gewiss handelte es sich um eine Dalmatika oder eine Tunika. Ein grosses keilförmiges Fragment (Abb. 4), das in der Mitte – längsgerichtet – einen 28 cm langen Schlitz zeigt und auf der Rückseite über den umgebogenen Rändern mit Streifen besetzt ist, dürfte jener Einsatz sein, der das Vorderteil mit dem Rückenteil der Dalmatika bzw. Tunika verbunden hat und die notwendige Bewegungsweite bewirkte. Zwei andere Fragmente, unten ebenfalls mit einem Streifenbesatz versehen, dürften seitlich angenäht gewesen sein. Die schräggeschnittene Form der Dalmatika wurde im 11. Jahrhundert üblich. Im allgemeinen wurde die Weite durch zwei keilförmige seitliche Einsätze erreicht. Unser Fragment war aus *einem* Stück geschnitten wie z. B.

Abb. 1. Goldbroschiertes
Seidengewebe eines Grabgewandes
(Rekonstruktion).
Berchtesgaden, Stiftskirche.

Abb. 2. Panther, Detail aus Abb. 1.

auch an der Tunika des Erzbischofs Rodrigo Ximenez de Rada (gestorben 1245) im Kloster Santa Maria de Huerta bei Madrid[4] (vgl. Schnittmuster S. 10).

[4] Über die in der Abegg-Stiftung vollzogene Konservierung dieser Tunika siehe Mechthild Lemberg,
«palette», Heft 35, Basel 1970, S. 11. – Hinsichtlich der Umkehrung des Musters in den Seitenteilen der
Dalmatika vgl. D.G. Shepherd, La Dalmatique d'Ambazac, CIETA (Bulletin du Centre International
d'Etude des Textiles anciens) Nr. II, Lyon 1960, S. II. – Exp. Les Trésors des Eglises de France, Paris
1965, Cat. Nr. 354.

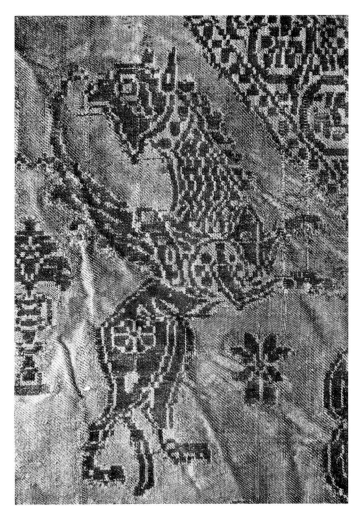

Abb. 3. Greif, Detail aus Abb. 1.

Wir bilden hier eine durch Zusammenfügung von Fragmenten gewonnene Rekonstruktion des Musters des Berchtesgadener Grabgewandes ab (Abb. 1). Natürlich hat das Gewebe seine ursprüngliche strahlende Farbenwirkung verloren. Das Muster war golden und rot und ein wenig grün auf einem wahrscheinlich hellen Grund in Gelb oder in Beige. Die früheren Goldfäden wirken jetzt schwarz. Die Zeichnung des Musters ist ungewöhnlich. Durch horizontal angeordnete, 5 cm breite Zickzackbänder, gefüllt mit Kreisen, in die Blumen eingefügt sind und die beiderseits mit einer Perlenreihe eingefasst sind, wird die Fläche in Bahnen aufgeteilt. Auf den oberen Spitzen der Zickzackmuster sind Palmetten angebracht, die aus einem Kelchfuss mit Nodus erwachsen. Die Spitzen, die nach unten zeigen, sind mit ebensolchen Palmetten pointiert, aber spiegelbildlich. In die spitzwinkligen Kompartimente sind oben adossierende, hochgestellte Greifenpaare mit zurückgewendeten Köpfen eingefügt, in die unteren Kompartimente erhobene gefleckte Pantherpaare (Abb. 2, 3). Panther wie Greifen tragen Halsbänder mit Perlen und an den Flanken eine Rosette. Bei den Panthern ist die sichelförmige Zeichnung an der vorderen Flanke charakteristisch.

Zwischen den Greifen ist ein kleines vasenähnliches Gefäss angebracht, aus dessen Cuppa eine Palmette erwächst. Zwischen den Panthern ist eine Palmette in anderer Stilisierung eingefügt: der Schaft des Gefässes ist säulenähnlich, die spitzovale Palmette ist mit einem Perlenband gerahmt, das mit knolligen Blättern besetzt ist. Die Anbringung der Panther und der Greifen ist horizontal jeweils durch zwei Schlangen getrennt. Die Schlangen – ursprünglich rot und golden gefleckt – kriechen gegeneinander. Ihre Drachenköpfe haben spitze Ohren und aufgerissene Rachen. Die Schwänze der geknoteten Körper berühren die Spitzen der grossen, nach unten gerichteten Palmetten. Der Unterschied zwischen dem festen linearen Zickzack und den weich kurvierten Linien der Schlangen ist ausgeprägt. Solche Darstellungen von Panthern und Greifen begegnen auch in anderen Seidengeweben. Sie sind sonst aber immer von Kreisrahmen umschlossen. Die schönsten Beispiele sind einfarbig mit einem «geritzten» Muster oder in einer Art Pseudo-Damast gewebt. Ich erwähne nur das Pluviale des Papstes Clemens II. in Bamberg[5] und die Kasel des hl. Vitalis aus St. Peter in Salzburg in der Abegg-Stiftung[6] (Abb. 5), beide geritzte Samitta, sowie die in Pseudo-Damast (Lampas) gewebten Strümpfe des Papstes Clemens und die goldgestickten Strümpfe des Königs Philipp von Schwaben aus dem Dom in Speyer[7].

Ohne Vergleich ist die Aufteilung der Fläche durch die Zickzackbänder und die Einfügung der geknoteten Schlangen. Grosszügige Verwendungen von Zickzackmustern finden sich in den folgenden Jahrhunderten in der islamischen Textilkunst. Zu erwähnen ist vor allem ein Gewebe, das – anstelle der Palmetten – französische Lilien zeigt und eine Pseudo-Nashki-Inschrift trägt, Bestandteil des Gewandes des Königs Guy de Lusignan von Zypern (gestorben 1194) im Museum of Fine Arts Boston[8]. Ein Gewebe in den Musées

[5] S. Müller-Christensen, Das Grab des Papstes Clemens II. im Dom zu Bamberg, München 1960, S. 40.

[6] Hans Tietze, St. Peter in Salzburg: Österreichische Kunsttopographie XII, Wien 1913, S. 89. – Die Abegg-Stiftung in Riggisberg: «DU», Zürich 1968, Nr. 26.

[7] S. Müller-Christensen, Die Gräber im Königschor: Die Kunstdenkmäler von Rheinland-Pfalz, Der Dom zu Speyer, München 1972, Textband S. 962.

[8] A. C. Weibel, Two Thousand Years of Textiles, New York 1952, S. 126, Nr. 160.

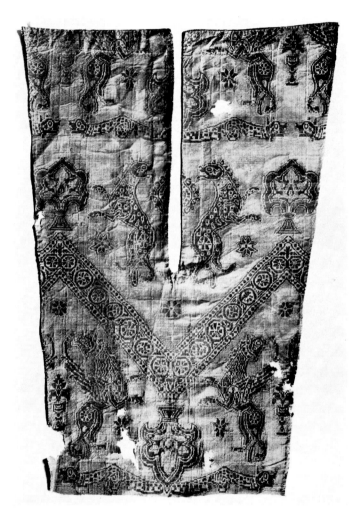

Abb. 4. Grabgewand, Fragment. Berchtesgaden, Stiftskirche.

Royaux des Arts Décoratifs in Brüssel[9] zeigt in breiteren Zickzackstreifen laufende Hasen zwischen Ranken, typisch islamisch in der Wiedergabe der spontanen Bewegung der Tiere. Der Berchtesgadener Brokat dürfte am Anfang des 12. Jahrhunderts entstanden sein, ob in Byzanz oder im Nahen Orient, ist zunächst nicht auszumachen.

[9] I. ERRERA, Catalogue d'Etoffes, IIe édit. Bruxelles 1907, S. 38, Nr. 27.

In Erscheinung und Charakter ist dies Gewebe jenem roten, goldbroschierten Seidenstoff der «Hülle des hl. Amandus» ähnlich, der aus der Schatzkammer des Benediktinerstiftes St. Peter in Salzburg teils in die Sammlung Werner Abegg (Abb. 6), teils in das Cleveland Museum of Art gekommen ist[10]. Hans Tietze berichtete 1913 in der Österreichischen Kunsttopographie[11], diese Fragmente seien «vor einigen Jahren» in St. Peter mit der Bezeichnung «St. Amandi-Reliquienhülle» «vorgefunden» und im Berliner Kunstgewerbemuseum unter Aufsicht von Geheimrat J. Lessing restauriert worden. Tietze veröffentlichte diese Fragmente mit einer wohl bei der Restaurierung angefertigten Aquarell-Komplettierung. Die Fragmente wurden später verkauft.

Die traditionelle Verbindung mit dem Namen des hl. Amandus, der als ein Patron des Stiftes St. Peter schon seit dem Ende des 8. Jahrhunderts verehrt wird[12], hilft nicht zur historischen Diagnose. Der hl. Rupert soll Reliquien des hl. Amandus nach Salzburg gebracht haben. Wahrscheinlich waren dies Reliquien des hl. Amandus, Bischof von Worms, und nicht jenes hl. Amandus, Bischof von Maastricht, der Patron von St. Peter in Salzburg ist. Es bestehen in Salzburg Nachrichten von mehreren Translationen dieser Reliquien. Da ist aber, soweit ich sehe, kein Datum, das mit dem Alter der erhalten gebliebenen Fragmente der Reliquienhülle in Verbindung gebracht werden kann. Noch heute wird in St. Peter der etwa um 1200 entstandene hölzerne Reliquienschrein des Heiligen mit seinem 1446 gemalten Bild aufbewahrt.

Die Darstellungen der Seidenfragmente dieser Reliquienhülle[13] sind konsequent «heraldisch» stilisiert. Man sieht einen Doppeladler, unter dessen greifbereiten Krallen weissgefleckte Panther aufspringen, eng gerahmt durch zwei vertikale Halbkreise in Form von Schlangen, die an beiden Enden je mit einem Drachenkopf abschliessen. Die einander gegenübergestellten zähnefletschenden Drachenköpfe sind durch Vierpässe getrennt, die den Kreisrahmen schliessen und die vertikale Mitte hervorheben. Solche Medaillons sind

---

[10] O. VON FALKE, Kunstgeschichte der Seidenweberei II, Berlin 1913, S. 18, Abb. 154. – «DU», l. c. Nr. 30. – D. G. SHEPHERD: Bulletin of the Cleveland Museum of Art, Vol. 37, 1950, S. 195.

[11] Die Denkmale des Benediktinerstiftes St. Peter in Salzburg, S. 96.

[12] KARL KÜNSTLE, Ikonographie der Heiligen II, Freiburg 1926, S. 51/52. – FRANZ VON SALES DOYÉ, Heilige und Selige, I, Leipzig 1929, S. 47. – M. BUCHBERGER, Lexikon für Theologie und Kirche I, Freiburg 1930, S. 335/336.

[13] Masse: Abegg-Stiftung, Riggisberg, H. 49,5 cm, Br. 50 cm (zusammengesetzt aus fünf Fragmenten). – The Cleveland Museum of Art, H. 45,5 cm, Br. 53 cm.
Seidengewebe, Samittum, broschiert.
Bindung: Köper-Schuss-Kompositbindung, 1/2 S.
Kette: auf 1 Hauptkette 1 Bindekette, beige (von den Schussfäden leicht rötlich gefärbt), Z-Drehung, je 27 /cm.
Schuss: 2 Schüsse, rot und weiss, ohne Drehung, je 30 bis 32 /cm. Broschierschuss, Häutchengold, Z-gesponnen um Seidenseele, teilweise oxydiert, 30 /cm.

Abb. 5. Kasel des hl. Vitalis aus St. Peter in Salzburg, Ausschnitt.
Abegg-Stiftung Bern.

ohne Berührung in horizontalen und vertikalen Reihen angeordnet. In den unteren Zwickeln zwischen den Kreisen ist ein kleiner Greif angebracht. Eigenartig ist die Zusammenfügung des Doppelkopfes des Adlers auf dem steifen, geraden Hals mit dem zugespitzten eiförmigen Körper. Die Flügel sind mit ungewöhnlich grossen Medaillons und mit Perlenreihen besetzt. Der Grund ist rot bzw. – wohl durch Lichteinfluss verursacht – rosa. Die Darstellungen der Tiere, die jetzt – ausgenommen die weissen Augen und Flecken der Panther – schwarz erscheinen, waren ursprünglich golden.

Aufschlussreich ist ein stilistischer Vergleich mit den berühmten byzantinischen Adlerstoffen, die in den kaiserlichen Werkstätten entstanden sind, z. B. der Albuinskasel in Brixen und dem Sudarium des hl. Germanus in Auxerre [14]. Diese haben eine straffe abstrakte Monumentalität, obschon einige Partien durch verschiedenartige Kleinmusterungen bereichert sind. Die Strenge der Linienführung unterscheidet sich wesentlich von den weichen Kurven der Darstellung des Doppeladlers. Auch wird das Motiv der auf die hochgestellten und mit Köpfen versehenen Schwänze zurückblickenden Panther in Byzanz und in Spanien nicht angetroffen. Ich vergleiche z. B. persische Seidengewebe im Textile Museum in Washington und im Victoria and Albert Museum London [15]. Ich vergleiche ferner die Stilisierung des Löwenstoffes aus dem Dom zu Passau [16] (Abb. 8) und die Fragmente eines Seidenstoffes im Österreichischen Museum für angewandte Kunst in Wien, dessen breite Kreisrahmen mit kleinen Tierdarstellungen – Löwen und Hasen – gefüllt sind [17] (Abb. 7). Ich meine, es handle sich – wie bei dem Gewebe der Abegg-Stiftung – um Erzeugnisse vorderasiatischer Werkstätten, deren Darstellungsgewohnheiten technisch und stilistisch Reflexe auch in den byzantinischen Manufakturen bewirkt haben.

[14] O. VON FALKE, l. c. II, S. 17. – Ausst. Sakrale Gewänder, Bayerisches Nationalmuseum, München 1955, Kat. Nr. 17. – D. TALBOT RICE, Kunst aus Byzanz, München 1959, Abb. 132.

[15] H. SCHMIDT, Alte Seidenstoffe, Braunschweig 1958, S. 99, Abb. 72, S. 113, Abb. 78.

[16] Leihgabe im Bayerischen Nationalmuseum, München. Kunstdenkmäler Bayerns, Niederbayern III, Stadt Passau, 1919, S. 537. – Ausst. Sakrale Gewänder 1955, Kat. Nr. 32. Masse: H. 22 cm, Gesamtlänge 68 cm.
Seidengewebe, Samittum, broschiert.
Bindung: Köper-Schuss-Kompositbindung, 1/2 S.
Kette: auf 2 Hauptketten 1 Bindekette, gelblich-weiss, Z-Drehung, 32 bzw. 16 cm.
Schuss: 3 Schüsse, gelb, rotviolett, weiss, ohne Drehung, je 42 /cm. Broschierschuss Häutchengold, Z-gesponnen um Seidenseele, oxydiert, 42 /cm.
H. SCHMIDT, l. c., S. 118.

[17] Wien, Österreichisches Museum für angewandte Kunst, T. 775. Fünf Fragmente (18 × 48 cm, drei 14 × 12 cm und 11 × 10,5 cm).
Seidengewebe, Samittum, broschiert, 1/2 S.
Hauptkette und Bindekette gelblich, Z-Drehung, je 33 /cm.
Schuss: rot, Musterschuss: Häutchengold.
Zu vergleichen ist ein Seidenstoff ehemals auf der Rückseite der Sainte-Face im Kloster Saint-Bartholomée des Arméniens in Genua: Colette Dufour-Bozzo, CIETA, N° 30, Juli 1969, S. 37.

Abb. 6. «Hülle des hl. Amandus» aus St. Peter in Salzburg.
Abegg-Stiftung Bern.

Die Gewebestücke aus Berchtesgaden und Salzburg zeigen neben den üblichen Tier- und Pflanzendarstellungen auch das Schlangenmotiv. Adlerstoffe und Löwenstoffe gehörten zu den «kaiserlichen» Geweben, dem Hof vorbehalten und als Geschenke vergabt. Panther und Löwen gehörten zu den vornehmsten Jagdbeuten. Oft ist es schwierig, zwischen Darstellungen gefleckter Panther und kleinerer Geparden, die als Jagdhunde verwendet wurden, zu

Abb. 7. Fragment eines goldbroschierten
Seidengewebes.
Wien, Österreichisches Museum für
angewandte Kunst
(Aufnahme des Museums).

unterscheiden. Darstellungen von Kämpfen hochfliegender Adler mit giftigen, listigen Schlangen war ein uraltes Thema[18]. In den von uns besprochenen Geweben ist kein Kampf dargestellt. Alle Themen sind sozusagen in das Heraldische übersetzt. Vielleicht ist die Schlange auf dem Seidenbrokat der Abegg-Stiftung als Symbol des Bösen zu verstehen. Ist vielleicht auch die Gegenüberstellung des Pantherkopfes und des Drachenkopfschweifes als Kontrast von Edel und Böse zu deuten?

Ein Emailmedaillon der Pala d'oro in San Marco zu Venedig[19] zeigt einen Lebensbaum mit Vögeln – nach iranischer Vorstellung den irdischen Garten symbolisierend – eingefasst von zwei Schlangen, deren Schwänze bei der Wurzel des Baumes zusammengeschlungen sind und deren Leiber in der Mitte geknotet sind. Die Köpfe der zwei Schlangen sind oben einan-

[18] R. Wittkower, Eagle and Serpent. A Study in the Migration of Symbols. Journal of the Warburg Institute, Vol. II, London 1938/39, S. 293.

[19] Ed. H. R. Hahnloser, Il Tesoro di San Marco I, Firenze 1965. La Pala d'oro: W. F. Volbach, Gli smalti della Pala d'oro, S. 66, Nr. 151.

Abb. 8. Löwenstoff, Leihgabe aus dem Dom zu Passau. München, Bayerisches Nationalmuseum
(Aufnahme des Museums).

der gegenübergestellt, von einem Kreuz (?) getrennt. In diesem byzantinischen Email ist
der Einfluss des Iran offenkundig[20].

Ernst Kühnel betonte, dass Muster von byzantinischen und islamischen Seidenstoffen häufi-
ger, als es wörtlich nachzuweisen ist, Vorlagen für die Darstellungen von Elfenbeinarbeiten
gewesen sind[21]. Dies könnte z.B. für den Oliphanten im Herzog-Anton-Ulrich-Museum
Braunschweig[22] zutreffen, dessen Längsdekor Streifen zeigt, die ausgefüllt sind mit verschiedenen Tieren wie Hasen, Vögeln, Greifen, zuweilen versehen mit Vogelkopfschweifen. In
einem der Längsstreifen sehen wir verschlungene Schlangen, deren Köpfe einander zugekehrt sind. Ähnlich ist die Darstellung eines broschierten Seidengewebes im Österreichischen Museum für angewandte Kunst in Wien[23] (Abb. 9).

In spätantiken, byzantinischen und mittelalterlichen Reliefs und Mosaiken ist der Kampf
von Adlern oder anderen Vögeln mit Schlangen dargestellt. In Seidengeweben ist mir nur

[20] A.GRABAR, Le Succès des Arts Orientaux à la Cour Byzantine sous les Macédoniens, Münchner Jahrbuch der Bildenden Kunst, III.Folge, II 1951, S.47.
[21] E.KÜHNEL, Die islamischen Elfenbeinskulpturen, VIII.–XIII.Jahrhundert, Berlin 1971, S.4.
[22] E.KÜHNEL, l.c. S.62, Nr.79.
[23] Wien, Museum für angewandte Kunst, T.781, Masse: H.18 cm, Br.28 cm. Broschierung mit Häutchengold.

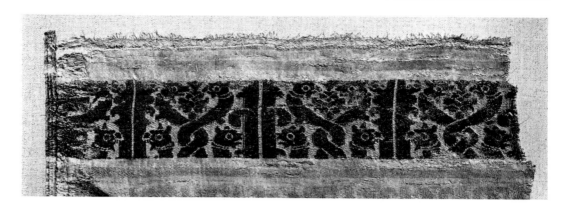

Abb. 9. Fragment eines goldbroschierten Seidengewebes. Wien, Österreichisches Museum für angewandte Kunst (Aufnahme des Museums).

eine (unvollständig erhaltene) Wiedergabe eines solchen Kampfes bekanntgeworden, nämlich in der Schatzkammer des Domes von Halberstadt[24]. Dies ist ein wohl als Reliquienhülle verwendetes Fragment eines Samittum in Grün und Rot mit Kreismedaillons, einen Baum mit grossen Granatäpfeln enthaltend, in den Zwischenräumen der Medaillons Köpfe und Flügel gegenständiger Adler, zwischen denen sich, bereit zum Biss, Schlangenköpfe emporstrecken (Abb. 10). Die Vervollständigung dieser Darstellung ersieht man aus Reliefs an der Aussenmauer der kleinen Metropoliskirche Gorgoepikoos in Athen[25]. Hier stehen aufrecht die zweimal geknoteten Schlangen zwischen den Vögeln (Abb. 11, 12). Andere Beispiele finden sich z.B. auf der Nordseite der Markuskirche in Venedig und in Ochrid.

In der Schatzkammer von St. Servatius in Maastricht befindet sich ein rotes Samittum aus dem 8./9.Jahrhundert mit der Darstellung eines Baumes, zwischen dessen Ästen Schlangenköpfe drohend über einen Löwen herausragen[26]. Diese Darstellung finden wir ebenso in Geweben der Wiener Schatzkammer, die wohl ungefähr gleichzeitig mit den Geweben aus Berchtesgaden und aus St. Peter in Salzburg entstanden sein dürften (Abb. 13). Es handelt

---

[24] Dommuseum, Halberstadt, Nr. 80b. Masse: H. 8 cm, Br. 19 cm.
Seidengewebe, Samittum, 1/2 S.
Kette: 1 Hauptkette auf 1 Bindekette, grau-weiss, Z-Drehung, je 21 /cm.
Schuss: 2 Schüsse, rot und grün, ohne Drehung, je 60 /cm.

[25] M. Chatzidakis, Das byzantinische Athen, Athen o. J., Abb. 48 und 49. – D. Talbot Rice, Byzantinische Kunst, München 1964, Abb. 4.

[26] J. Lessing, Gewebesammlung des Kunstgewerbe-Museums, Berlin 1900/1913, Tafel 52. – Falke, l.c. II, S. 4. – De Monumenten van Geschiedenis en Kunst in de Provincie Limburg: I. De Monumenten in

Abb. 10. Fragment einer Reliquienhülle. Halberstadt, Domschatz.

sich um jene in Seide und Goldfäden ausgeführten Wirkereien, zum Teil mit einem Streifen in einfarbigem Schusskörper am Rand abgeschlossen, die als Futterstoff des Krönungsmantels Rogers II. inwendig erhalten geblieben sind [27]. Von allen Geweben, in denen die Schlangen als Thema eine Rolle spielen, gehören sie zu den bedeutendsten und zugleich zu den rätselhaftesten. Der sogenannte Paradiesstoff zeigt in achteckigen, aus Schlangenleibern gebildeten Kompartimenten Bäume, aus deren Kronen Schlangenköpfe auf kurzem Leib aufragen. In einem zweiten Gewebe ist das Muster verändert. Die Schlangenleiber teilen durch Verschlingungen die Fläche in schmale Rauten ein, in die Menschen oder Pflanzen eingefügt sind. Die Schlangenköpfe speien ihr Gift in Schalen.

Verloren ist das Gewand des Königs Roger II., das in seinem Grab im Dom zu Palermo gefunden wurde, aber nur durch die Reproduktion von Francesco Daniele von 1781 bekannt ist [28]. Hier sieht man in die Felder eingefügte Fabeltiere wie Basilisk, Panther und Hunde sowie Reiter auf reich geschirrten Pferden, deren Darstellungen an die persisch-byzantinischen Reiter der Emailmedaillons der Pala d'oro in San Marco erinnern. Die stilistische und

de Gemeenten Maastricht, 's-Gravenhage 1935, S. 443., Nr. 103. – Masse: H. 24 cm, Br. 10,7 cm. Seidengewebe, Samittum, 1/2 S.
Kette: auf 2 Hauptketten 1 Bindekette, weiss-grau, Z-Drehung, 32 bzw. 16 /cm.
Schuss: 3 Schüsse, rot, gelb, grün, jede 39 /cm.

[27] H.FILLITZ, Die Schatzkammer in Wien, Wien/München 1964, S. 139. – P.E.SCHRAMM und F.MÜTHERICH, Denkmale der deutschen Könige und Kaiser, München 1962, S. 50, 182.

[28] A.SANTANGELO, Tessuti d'Arte italiani, Milano 1958, fig. I.

Abb. 11 und 12. Brüstungsplatten. Athen, Gorgepikoos (Aufnahme Papachatzidakis).

technische Eigentümlichkeit des Gewandes des Königs Roger II. ist wohl aus textilen Traditionen zu erklären, die in das tulunidische und fatimidische Ägypten zurückreichen. Als ein vergleichbares Beispiel aus dem 6.–8.Jahrhundert kann ein koptisches, in Wolle gewirktes Medaillon im Puschkin-Museum Moskau [29] angesehen werden. Dargestellt ist ein Reiter, der mit gezogenem Schwert gegen eine Schlange kämpft. Andere Tiere, darunter eine geknotete Schlange, füllen die umgebende Fläche.

Die Gewebe des Berchtesgadener und des Riggisberger Seidenstoffes, von denen unsere Beobachtungen ausgingen, sind, wie mir scheint, wichtige Zeugnisse der Verflechtungen islamischer und byzantinischer Kunst im hohen Mittelalter.

[29] R. SHURINOVA, Coptic Textiles, State Pushkin Museum of fine Arts, Moscow 1967, Abb. 101, Kat. Nr. 179.

Abb. 13. Futterstoff des Krönungsmantels Rogers II., Ausschnitt. Wien, Schatzkammer.

EIN ISLAMISCHES SEIDENGEWEBE
DES 12. JAHRHUNDERTS

VON BRIGITTA SCHMEDDING

Zu einem grossen Medaillon zusammengelegt, kamen die Fragmente eines vorwiegend rot erscheinenden Seidengewebes aus dem Kunsthandel in die Abegg-Stiftung Bern (Inv. Nr. 935). Es ist meiner Meinung nach wert, vorgestellt zu werden, was im folgenden versucht werden soll.

In richtiger Anordnung zusammengelegt, ergaben die Fragmente ein etwa 30 auf 63 cm grosses Stück Stoff, das zwar noch immer sehr bruchstückhaft aussieht, aber doch Komposition und Motive seiner Musterung deutlich erkennen lässt (Abb. 1–2). Es handelt sich um die alte Gliederung in Medaillonreihen, zwischen denen sich sphärische Zwickelfelder bilden. Hier sind die Kreise unverbunden und mit einem doppelten Rahmen versehen. Der innere ist mit Blattmotiven gefüllt, die im einzelnen nicht genau nachzuvollziehen sind, da die Oberfläche des Gewebes stark abgerieben ist. Der äussere Rahmen enthält kufische Schriftzeichen [1], ebenfalls in sehr ruinösem Zustand. Die Rahmen sind zusammen nach aussen und innen durch ein schmales rotes Band abgegrenzt.

Das runde Mittelfeld zeigt ein affrontiertes Sphinxpaar zu Seiten eines stilisierten dünnstieligen Lebensbäumchens. Die grossen Flügel der Sphinxe, deren Spitzen in Blattmotive auslaufen, stossen fast über den Köpfen der Tiere zusammen. Die ganze untere Partie mit den Füssen der Sphinxe und dem «Stand»-Teil der Bäumchen fehlt. Aus der sehr abgeriebenen Partie unter dem Bauch der Sphinx ganz links ist jedoch noch herauszulesen, dass sich dort etwas befand. Vielleicht ein kleineres Tier? Die Sphinxe selbst sind reich mit Schmuck versehen. Sie tragen Kronen, Halsketten und Ohrgehänge. Auch um Brust und Flanken ziehen sich geperlte Bänder. Fast wie ein Schmuck wirken auch die wenigen Binnenzeichnungen auf den Körpern. Runde oder tränenförmige Punkte markieren die Gelenke. Die Konturlinie der Hinterbeine entlässt unvermutet einen kleinen Kringel und mündet am anderen Ende in eine Halbpalmette. Das Gefieder der Flügel ist in ähnlicher Weise mit wenigen Mitteln dekorativ durchgegliedert: kleine Arkaden übereinandergestellt auf den Flügelansätzen, kleine Voluten an den Enden der langen, wenig gebogenen Schwungfedern.

[1] Nach brieflicher Mitteilung von Herrn Prof. RICHARD ETTINGHAUSEN, New York, handelt es sich um echte Schriftzeichen und nicht nur um ein dekoratives Ornament.

In die vier Spitzen des Zwickelfeldes strahlen vier grosse Palmetten von einem zentralen achtzackigen Stern aus. Auch diese Partie ist nur sehr fragmentarisch erhalten.

Die Farben des Stoffes sind Rot, Grün und Elfenbein. Allerdings sind sie etwas anders verteilt gewesen, als sie heute in Erscheinung treten. Wo der grüne und der rote Schuss heute abgerieben ist, wird die helle Kette sichtbar, und der ehemals helle Grund ist total verschwunden, so dass man an diesen Stellen heute die Rückseite des Gewebes sieht, das heisst: die roten und grünen Lancierschüsse. Die heutige Farbigkeit des Gewebes ist in diesem Sinne zu korrigieren.

Zum Erhaltungszustand wäre noch ergänzend anzufügen, dass sich die Farben ausgezeichnet erhalten haben. Nur im linken Medaillon, in der rechten Hälfte sind braune Verfärbungen zu sehen. In der gleichen Gegend haften auf der Oberseite des Gewebes kleine Reste eines feinen leinwandbindigen Leinengewebes an.

Die Herkunft des Gewebes ist nicht bekannt. Aber die bräunlichen Verfärbungen, kleine schmutzverkrustete Stellen und die Leinenrestchen scheinen darauf hinzuweisen, dass der Stoff aus einem Grab stammt.

Man fühlt sich beim Anblick dieses Gewebes sofort an eine Gruppe spanischer Stoffe erinnert, die von Dorothy Shepherd an mehreren Stellen veröffentlicht und zusammengestellt wurden[2], zuletzt im Zusammenhang mit der Kasel des hl. Juan de Ortega in der Pfarrkirche von Quintanaortuña[3]. Aus stilistischen wie technischen Gründen gehören dieser Gruppe an:

1. der Löwenstoff in Quintanaortuña, durch Inschrift in die erste Hälfte des 12. Jahrhunderts datiert[4];

2. die sogenannte Bagdad-Seide in Boston, Anfang des 12. Jahrhunderts, mit der Darstellung von Löwen und Harpyen, aus dem Grab des hl. Pedro (gestorben 1109) in Burgo de Osma[5]. Weitere Stücke davon befinden sich in New York (Cooper Hewitt Museum) und Tarrasa;

3. der Löwenwürgerstoff in Vich, Anfang des 12. Jahrhunderts, aus dem Grab des hl. Bern-

---

[2] The Hispano-Islamic Textiles in the Cooper Union Collection, Chronicle of the Museum for the Arts of Decoration 1, 1943. A 12th century Hispano-Islamic Silk, The Bulletin of the Cleveland Museum of Art 38, 1951, S. 59–62. Another Silk from the Tomb of St. Bernard Calvo, The Bulletin of the Cleveland Museum of Art 38, 1951, S. 74–75. Two Hispano-Islamic Silks in Diaper Weave, The Bulletin of the Cleveland Museum of Art 42, 1955, S. 6–10.

[3] A Dated Hispano-Islamic Silk, Ars Orientalis 2, 1957, S. 373–382.

[4] M. GOMEZ-MORENO, El arte árabe (Ars Hispaniae Band 3, 1951), Abb. 407. MAY, Spain, Abb. 22. SHEPHERD, Orientalis, Taf. 1–3.

[5] MAY, Spain, Abb. 23. SHEPHERD, Orientalis, Taf. 7. F. E. DAY, The Inscription of the Boston «Baghdad» Silk, Ars Orientalis 1, 1954, S. 191–194, weist nach, dass die Schrift in einem Fall eine Schreibweise gebraucht, die nur in Spanien üblich war. Damit ist die Seide als spanisches Produkt gesichert, trotz der Inschrift, die besagt, dieser Stoff sei in Bagdad gewebt worden, eine falsche Qualitätsangabe, die eben auch damals schon vorkam.

hard von Calvo in Vich[6]. Weitere Stücke des Stoffes befinden sich in Cleveland, New York (Cooper Hewitt Museum) und Barcelona;

4. der Sphinxstoff aus dem gleichen Grab, Anfang des 12. Jahrhunderts[7]. Stücke dieses Stoffes befinden sich in New York (Cooper Hewitt Museum), Cleveland, Tarrasa. Auch die Abegg-Stiftung besitzt ein Fragment: Inv. Nr. 448. Masse: Höhe 61 cm, Breite 32 cm (Abb. 3–4);

5. der Greifenstoff aus einer Urne mit den Reliquien der hl. Librada in Siguenza, erste Hälfte des 12. Jahrhunderts[8]. Stücke des Stoffes befinden sich in Cleveland, New York (Metropolitan Museum) und in Tarrasa;

6. der Adlerstoff aus dem Reliquiar in Siguenza, erste Hälfte des 12. Jahrhunderts[9]. Stücke des Stoffes befinden sich in Cleveland, New York (Metropolitan Museum) und in Tarrasa;

7. der Adlerstoff aus Quedlinburg in Berlin, Mitte des 12. Jahrhunderts[10];

8. der Adlerstoff in Vich, Mitte des 12. Jahrhunderts, aus San Pedro de Cercada in Santa Coloma de Farnés (Gerona-Provinz)[11].

Die Seidenstoffe 1, 2, 4 und 5 zeigen ebenfalls gegenständige Tierpaare zu Seiten eines Lebensbaumes, in gerahmte Medaillons eingeschlossen, zwischen denen sich Palmetten organisch in die vier Ecken des Zwickelfeldes erstrecken. Das Muster hebt sich in Rot und Grün von einem elfenbeinfarbenen Grunde ab, wie im Falle der Sphinxseide Inv. Nr. 935 der Abegg-Stiftung[12].

Als weitere Kennzeichen, die allen Stoffen der Gruppe gemeinsam sind, nennt Dorothy Shepherd: – die leicht elliptische Form der Medaillons – die Inschriftbänder, die die Medaillons waagrecht durchschneiden – die Perlbänder als Rahmenbegrenzung – die Tierfriese in den Rahmen.

Der Sphinxstoff aus dem Calvo-Grab (Abb. 3) ist der einzige, dessen Medaillonrahmen mit Ranken gefüllt ist. Aber das leicht elliptisch geformte Medaillon und die Perlbänder sind bei ihm, stellvertretend für alle, leicht nachzuprüfen.

Die horizontal die Medaillonreihen durchschneidenden Inschriftbänder sind vorhanden bei dem Löwenstoff in Quintanaortuña, dem Löwenwürgerstoff in Vich und der Bagdad-Seide

[6] FALKE I, Abb. 187. SHEPHERD, Orientalis, Taf. 8 A.

[7] FALKE I, Abb. 189. SHEPHERD, Orientalis, Taf. 8 B.

[8] MAY, Spain, Abb. 24. SHEPHERD, Orientalis, Taf. 10 B.

[9] MAY, Spain, Abb. 25. SHEPHERD, Orientalis, Taf. 10 A.

[10] FALKE I, Abb. 185. SHEPHERD, Orientalis, Taf. 9 A.

[11] SHEPHERD, Orientalis, Taf. 9 B.

[12] DOROTHY SHEPHERD gibt als Farbstoffe an: Rot: Kermès, Grün: Indigo und Safran (?). JUDITH HOFENK DE GRAAFF vom Central Research Laboratory for Objects of Art and Science in Amsterdam hat Farbanalysen vom Sphinxstoff Inv. Nr. 935 gemacht, wofür ihr auch hier bestens gedankt sei. Das Ergebnis ist das gleiche: Rot: Kermès, Grün: Indigo und Safran (?).

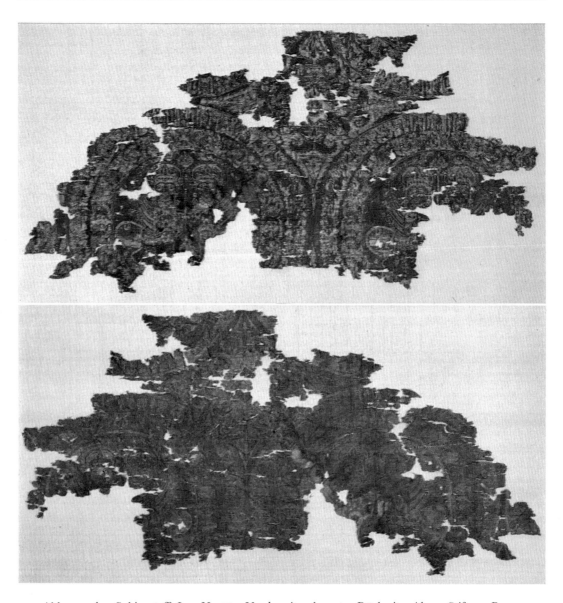

Abb. 1 und 2. Sphinxstoff. Inv. Nr. 935. Vorderseite, darunter Rückseite, Abegg-Stiftung Bern.

Abb. 3 und 4. Sphinxstoff aus dem Grab des hl. Bernhard von Calvo in Vich.
Inv. Nr. 448. Links Vorderseite, rechts Rückseite. Abegg-Stiftung Bern.

in Boston [13]. Bei den anderen Stoffen sind sie nicht erhalten, sofern sie überhaupt einmal vorhanden waren. Auch beim Sphinxstoff Inv. Nr. 935 spricht nichts für oder gegen die ursprüngliche Anwesenheit von solchen Bändern. Ansonsten fehlen ihm alle oben genannten Merkmale der spanischen Gruppe.

Dorothy Shepherd gibt zwei weitere technische Eigenheiten an, die allen Stoffen gemeinsam sind:

1. Goldfäden als Broschierung für Einzelheiten wie Tierköpfe, Gesicht, Hände, Füsse und Gürtel des Löwenwürgers, zentrale Rosetten in den Zwickeln. Diese Goldfäden, und das ist das Charakteristische, sind in einer Art durch die Bindekette abgebunden, dass sich ein Wabenmuster ergibt;

2. die Gruppierung der Hauptkettfäden einmal zu zweit, einmal zu viert in der Reihenfolge 2-2-4-2-2, was man eine Kombination von zwei Bindungen, nämlich Leinwandbindung und Louisine, nennen könnte.

Auch in dieser Hinsicht unterscheidet sich der Sphinxstoff Inv. Nr. 935 ganz wesentlich von der genannten Gruppe spanischer Seidengewebe. Gold ist bei ihm gar nicht vorhanden. Auch die so charakteristische Kombination von zwei Bindungen fehlt ihm. Ausserdem hat er auch sonst in technischer Hinsicht kaum eine Gemeinsamkeit mit dem Sphinxstoff aus dem Calvo-Grab, der hier stellvertretend für die ganze Gruppe stehen soll.

Von beiden Stoffen hat Gabriel Vial vom CIETA in Lyon Bindungsanalysen gemacht [14], deren wichtigste Ergebnisse hier in deutscher Sprache zusammengefasst werden.

		Inv. Nr. 935	Inv. Nr. 448
Bindung:		Lampas mit einem Doppelgewebe als Grund	Lampas mit Broschierschuss
Kette:	Verhältnis:	auf 2 Hauptkettfäden 1 Bindekettfaden	auf 4 Hauptkettfäden 1 Bindekettfaden
	Stufung:	3 Hauptkettfäden	3 Hauptkettfäden
	Dichte:	40 Hauptkettfäden	48 Hauptkettfäden
Schuss:	Verhältnis:	auf 1 Grundschuss 1 Lancierschuss rot 1 Lancierschuss grün	auf 1 Grundschuss 1 Lancierschuss rot 1 Lancierschuss grün 1 Lancierschuss gelb (unterbrochen)

[13] SHEPHERD, Orientalis, Taf. 4.
[14] Dafür sei Herrn GABRIEL VIAL auch an dieser Stelle herzlich gedankt.

	Inv. Nr. 935	Inv. Nr. 448
		1 Broschierschuss Goldfaden (Häutchengold um Seidenseele)
Stufung:	3 Passées	2 Passées
Dichte:	45–50 Passées/cm	34–36 Passées/cm
Bindung der Hauptkettfäden (Grund):	Doppelgewebe (Louisine auf der Gewebeoberseite)	Kombination von Leinwandbindung und Louisine
Bindung der Mustereffekte:		
Lancierschüsse:	Köper 2/1 S	Leinwandbindung
Broschierschüsse:	nicht vorhanden	durch *alle* Bindekettfäden

Als Gemeinsames wären nur die Kettstufung und vielleicht die Kettdichte zu nennen.

Wenn man nun die Motive der Gruppe spanischer Gewebe mit der Darstellung der Sphinxseide Inv. Nr. 935 vergleicht, kommt man zu ähnlichen Ergebnissen.

Mit Ausnahme der Adlerstoffe folgt die Tierdarstellung der spanischen Gruppe einem bestimmten Schema: die Tiere steigen in schräg aufwärts gerichteter Linie empor, sind sich gegenübergestellt oder Rücken an Rücken, wobei häufig die Köpfe wieder einander zugekehrt sind, aber immer im *strengen Profil*.

Das gleiche Schema zeigen andere spanische Stoffe, die zeitlich auf die erste Gruppe folgen:

- der Gazellenstoff in Berlin, von Otto von Falke ins 13. Jahrhundert datiert [15];

- der Löwenstoff aus dem Grab des hl. Regnobert in Vergy (Côte d'Or), 13. Jahrhundert [16]. Stücke des Stoffes in Paris und Boston;

- der Vogelstoff in Salamanca, an einer Urkunde aus der Zeit Fernando II. (1157–1188) festgenäht [17];

- der Vogelstoff von der Kasel des hl. Edmund (gestorben 1241) in Provins (Seine-et-Marne) [18].

[15] FALKE I, S. 118 und Abb. 191.
    FALKE I, S. 118.
[16] WEIBEL, Textiles, Nr. 98.
[17] FALKE I, Abb. 190.
[18] Les trésors des églises de France, Ausstellungskatalog Paris 1965, Nr. 113.

Die Beliebtheit des Schemas ist daran zu erkennen, dass auch die kleinformatig gemusterten Seidenstoffe des 12. und 13.Jahrhunderts, auf denen die Tiere im dekorativen Rahmenwerk der Kreise, Rauten, Vielpässe und Sterne völlig an Bedeutung verlieren, an ihm festhalten[19].

Gerade dieses für spanische Stoffe offenbar sehr typische Schema ist auch wiederum auf unserem Sphinxstoff nicht befolgt worden.

Hier stehen die Tiere waagrecht, auf allen vieren, möchte man sagen, die Rückenlinie tief eingeschwungen und den Kopf frontal herausgedreht.

Das Gewicht dieses durch eine enorme Krone überhöhten und durch Ohrgehänge und Perlenkette gerahmten Hauptes ist überhaupt auffallend im Verhältnis zu dem eher schlanken, beweglichen Körper der Sphinxe. Vergleicht man damit die Tiere der spanischen Seiden – ein gutes Beispiel sind die Sphinxe auf dem Calvo-Stoff (Abb. 3) –, so ist hier das Verhältnis gerade umgekehrt: auf einem grossen, etwas plumpen, ungelenken Körper sitzt ein eher kleiner Kopf.

Was in dieser Hinsicht beim Sphinxstoff Inv. Nr. 935 anders ist, erinnert eindeutig an persische Darstellungen.

Auf mesopotamischen und persischen Keramik-Geschirren, Messing-Eimern und Bronze-Geräten sehen die Sphinxe, als Fries umlaufend oder in heraldischer Gegenüberstellung, immer mit frontalem Kopf, ganz ähnlich aus. Nur sind die Körper noch schlanker und noch beweglicher, meist laufen die Sphinxe. Schon eine Seidenwirkerei, von Pope ins 10.Jahrhundert datiert[20], gibt diesen Sphinx-Typ, wenn auch ohne Flügel, wieder.

Was am Seidengewebe Inv. Nr. 935 besonders stark persisch anmutet, ist der Gesichtstypus der Sphinxe mit der breiten Stirnpartie, den grossen mandelförmigen Augen, den langen Augenbrauen, die über der Nasenwurzel zusammenwachsen. Auch die Kronen haben in der persischen Kunst ihr Pendant: über einem mit Perlen besetzten Stirnreifen mit mittlerem Aufsatz wölbt sich ein Polster. Um dieses voluminöse Gebilde herum ist, bei genauem Hinsehen, besonders gut auf der Rückseite des Gewebes (Abb. 2), eine Art Nimbus mit klein ausgebogtem Rand zu erkennen. Er umfasst gerade den Kronenaufbau und ist in der Höhe der Schläfen zu Ende. Es könnte sich um einen Bestandteil der Krone handeln. Man ist aber auch versucht, an einen etwas missverstandenen Nimbus zu denken; denn in der persischen Kleinkunst ist es durchaus geläufig, Personen und Tiere mit grossen Nimben darzustellen. Auch die Sphinxe sind häufig nimbiert. Einen ganz ähn-

---

[19] Solche Stoffe sind zum Beispiel in London, Sens und Madrid zu sehen. MAY, Spain, Abb. 20–21, 34–36. Ein weiteres Beispiel ist das als Flickstoff verwendete Gewebe am Halsausschnitt der «Valerio»-Dalmatik in Barcelona. MAY, Spain, Abb. 50. Von diesem letztgenannten Stoff besitzt auch die Abegg-Stiftung ein Stück, Inv. Nr. 683.

[20] POPE, Survey, Taf. 985.

lich klein ausgebogten Nimbus hat der Reiter auf einem Lüsterteller aus Ray[21], hier allerdings den ganzen Kopf hinterfangend. Schliesslich ist noch auf die langen Ohrgehänge der Sphinxe zu verweisen. In ganz ähnlicher Form trägt sie die Frau auf einer glasierten Schale aus Kashan[22].

Ist unser Sphinxstoff nun deshalb persisch? Ich glaube nicht, dass dies der Fall ist.

Was ihm im Vergleich zu den persischen Darstellungen fehlt, sind vor allem die knolligen Arabesken, die sich vom zentralen Lebensbaum aus um die Tiere herum fortranken, wie etwa auf persischen Seidenstoffen:
- dem Sphinxstoff in Washington[23];
- dem Täbriz-Stoff in Berlin[24];
- dem Greifenstoff in Berlin[25].

Auf dem Sphinxstoff der Abegg-Stiftung Bern wie auf allen spanischen Beispielen steht das Muster klar abgegrenzt auf freiem Grund.

Dann ist es vor allem auch die geometrisch-strenge Bildung der Palmetten, die sich in den Zwickeln ausbreiten und die in dieser Form «der ostmuslimischen Kunst völlig fremd geblieben»[26] sind.

Es scheint also, als ob der Sphinxstoff der Abegg-Stiftung Inv. Nr. 935 eine interessante, soweit ich sehe unbekannte Variante des spanischen Seidenstiles darstellt, die in weit grösserem Masse als die bekannten Stücke persischen Einflüssen verpflichtet ist. Diese wären in einer grösseren Studie genauer zu bestimmen und zu erklären.

ABKÜRZUNGEN

FALKE I: O. v. Falke, Kunstgeschichte der Seidenweberei Band I (Berlin 1913).

MAY, Spain: F. L. May, Silk Textiles of Spain (New York 1957).

POPE, Survey: A. U. Pope, Ph. Ackerman, A Survey of Persian Art Band 10 und 12 (Tokyo 1964/65).

SHEPHERD, Textiles: A. C. Weibel, Two Thousand Years of Textiles (New York 1952).

[21] POPE, Survey, Taf. 632.
[22] POPE, Survey, Taf. 652.
[23] WEIBEL, Textiles, Nr. 115.
[24] J. LESSING, Die Gewebesammlung des k. Kunstgewerbemuseums (Berlin 1900), Taf. 35 b.
[25] FALKE I, Abb. 152.
[26] FALKE I, S. 117.

ZU EINER GRUPPE VON KUPFERRELIEFS AUS DEM 13. JAHRHUNDERT

VON KAREL OTAVSKY

I

Anfangs der dreissiger Jahre hat Herr Werner Abegg eine kleine Reliefgruppe aus vergoldetem Kupfer erworben (Abb. 1, 2, 26), die aus der ehemaligen Sammlung Germeau stammt[1]. Das Relief, das heute zur Sammlung der Abegg-Stiftung gehört, stellt zwei langgewandete weibliche Figuren dar. Die rechte Figur, mit vor der Brust erhobenen Händen, wird von der andern gestützt, die halb hinter ihr steht. Beide bilden eine im Umriss geschlossene Gruppe. Sie weisen den gleichen Gesichtstypus auf: oval, mit vollen Wangen, gewölbter Stirn, geradem Nasenrücken und rundgebogenen Augenbrauen. Die Mundpartie ist von den Wangen deutlich abgesetzt, die Lippen treten unter deutlich wiedergegebenem Philtrum vor. Trotz des Qualitätsunterschiedes zwischen dieser kleinen Gruppe und den besten Leistungen der französischen Kathedralskulptur fühlt man sich hier an das antikisierende Schönheitsideal des Heimsuchungs-Meisters erinnert. Die Figuren sind schlank, ihre Gewandung zieht lange, gestraffte, vertikal oder leicht schräg verlaufende Falten. Einige Rinnen endigen in schlingenartigen Vertiefungen, die nach dem Rhythmus und Verlauf des Faltenwurfs angeordnet sind. Diese beherrschen namentlich die Seiten des Reliefs, wo sie als das einzige Draperiemotiv verwendet werden (Abb. 26).

[1] Die vorliegende Studie ist in der ersten Hälfte dieses Jahres entstanden. In dieser Zeit konnte ich eine Studienreise in die Vereinigten Staaten unternehmen, während welcher ich Gelegenheit hatte, das in amerikanischen Museen liegende Vergleichsmaterial zu beiden Riggisberger Reliefs zu sehen und manche hier berührte Probleme mit amerikanischen Kollegen zu diskutieren. Diese Reise wurde mir ermöglicht durch ein Stipendium der Friends of Switzerland Inc. in Boston, auf Grund der Empfehlung von Herrn Dr. MICHAEL STETTLER, der als Träger des *Julius Adams Stratton Prize for Cultural Achievement* 1972 dazu ermächtigt war. Ich möchte ihm dafür und auch für die allseitige Hilfe bei der Vorbereitung dieser Reise meinen aufrichtigen Dank aussprechen. Für weitere Unterstützung bei dieser Reise bin ich der Abegg-Stiftung, ihrem Präsidenten Herrn WERNER ABEGG und Frau MARGARET ABEGG zu Dank verpflichtet. Für die Möglichkeit, einzelne Objekte ausführlich zu studieren, für das Photomaterial, die zahlreichen Auskünfte, anregenden Diskussionen und tatkräftige Hilfe danke ich ROBERT DIDIER (Bruxelles), MARIE-MADELEINE GAUTHIER (Sèvres-Limoges), CARMEN GOMEZ-MORENO (New York), NICOLAS E. LANDAU (Paris), BRUNO MÜHLETHALER (Zürich), ALFRED MUTZ (Basel), VERA K. OSTOIA (New York), JOHN PLUMMER (New York), RICHARD H. RANDALL Jr. (Baltimore), CHARLES RATTON (Paris), HANNS SWARZENSKI (Boston) und WILLIAM D. WIXOM (Cleveland). Meinen Arbeitskollegen und Freunden gilt mein herzlicher Dank für das Durchlesen und Korrigieren dieses Textes.

Die Reliefgruppe (Inv. Nr. 8.59.63) ist 24 cm hoch. Das Relief wölbt sich um etwa 3 cm vor die einst vorhandene Hintergrundsfläche. Die Frontseite des Reliefs ist verhältnismässig flach, die Ränder sind zuweilen um mehr als 90° eingebogen, so dass sich das hochformatige Relief nach hinten sogar leicht verjüngt. Das Gesamtgewicht beträgt 350 g. Die Ausbuchtungen des Reliefs weisen an der Rückseite noch Reste einer hellen Füllmasse auf, welche die Widerstandsfähigkeit der an diesen Stellen weniger dicken Wand erhöhen sollte.

Die Rückseite (Abb. 2) trägt zahlreiche Spuren von Hammerschlägen und Abdrücke von Punzen. Daneben finden wir aber auch Stellen, wo nicht gehämmert wurde und wo die mit winzigen Sprüngen und Poren übersäte Gusshaut deutlich zu erkennen ist. Nicht alle Details sind von der Rückseite her getrieben worden: die Vorderseite wurde sorgfältig ziseliert, wobei diese nicht nur getrieben, sondern offensichtlich auch geschabt und gefeilt wurde (z.B. die Gesichtspartien). Etwaige Abdrücke von Punzen sind hier behoben worden. Nur an wenigen Stellen merken wir kleine Unebenheiten, und an zwei Stellen hat der Metallkünstler beim Nachziehen einzelner Formen, die er von ihrer Umgebung deutlicher abheben wollte, versehentlich die Metallwand durchbrochen. Bei der Behandlung der Vorderseite wurden auch die ornamentalen Borten der Gewänder und die punzierten Linien, die einzelne Draperiemotive wiedergeben, angebracht; diese «Zeichnung» verhält sich zu den gewölbten Flächen ungefähr wie die Schwarzlotzeichnung zur Farbe in der Glasmalerei oder die schwarze Zeichnung auf der Lokalfarbe in bestimmten Buchilluminationen.

Die Dicke des Blechs variiert von 1 bis 2 mm; die Ränder laufen stellenweise in eine scharfe Kante aus, sonst bilden sie einen Steg. Am dünnsten ist das Blech an den Gesichtern beider Figuren, wo das Relief am meisten ausgewölbt ist und wo die feinsten Details angebracht sind, am dicksten an einigen flachen Stellen der Frontseite. Bei der an zwei Stellen am Rande des Reliefs durchgeführten metallographischen Analyse wurden verschieden schwere Deformationen der Kupferkristalle festgestellt, die den verschiedenen Graden der Verformung des Blechs beim Treiben entsprechen. Darüber hinaus wurden zahlreiche Einschüsse von Kupferoxydulkriställchen festgestellt, die für gegossenes Hüttenkupfer charakteristisch sind[2].

An den Rändern sind bei der Bearbeitung mehrere Sprünge entstanden, die senkrecht zur Randlinie verlaufen. An der Umrisslinie des Kopfes und der Schulter der linken Frau (Abb. 2 oben rechts) ist der Sprung mit einem unterlegten Blechstreifen repariert worden. Derartige Reparaturen sind nicht nur an anderen verwandten Kupferreliefs zu finden, auf die wir noch zu sprechen kommen, sie wurden von Marie-Madeleine Gauthier auch an der

---

[2] Die Messungen an den Reliefs zur Ermittlung der Materialdicke wurden mit einem von Herrn Dr. AL-FRED MUTZ, Basel, entwickelten Spezialgerät festgestellt. Die metallographische Untersuchung des Reliefs wurde im Chemisch-physikalischen Laboratorium des Schweizerischen Landesmuseums in Zürich von Herrn Dr. BRUNO MÜHLETHALER durchgeführt.

Abb. 1. Mariengruppe von einer Kreuzigung. Kupfer vergoldet, H. 24 cm. Abegg-Stiftung Bern.

Figur des die Wetterfahne tragenden Engels von der Kirche Saint-Pierre in Dorat beobachtet[3]. Geschickte Ausnützung eines solchen Sprunges, um das Einziehen der Seitenwände des Reliefs zu erleichtern, sehen wir am Ellbogen der vorderen Frau, wo sich die Umrisslinie scharf biegt (auf der Abb. 2 gerade noch sichtbar): der Kupferschmied liess die beiden Seiten des Sprunges an der Randlinie ziemlich weit überlappen.

Anhand der aufgeführten technischen Eigenheiten können wir den Arbeitsvorgang bei der Herstellung des Reliefs hypothetisch etwa folgendermassen rekonstruieren:

1. Aus einer gegossenen Platte von unregelmässiger Dicke (ungefähr 1,4 bis 2 mm), die annähernd dem Umriss des Reliefs entsprochen haben dürfte, trieb der Kupferschmied zuerst die höchsten Teile des Reliefs, d. h. die Köpfe, von der Rückseite hervor. Bei Gestaltung der Draperie der Frontseite genügte die Herstellung des niedrigen Reliefs der Falten, wobei einige Stellen unberührt bleiben konnten, da sie der gewünschten Form entsprachen. Dass die Frontseite relativ wenig Treibarbeit beanspruchte, ist aus ihrer relativ dicken Metallwand und aus der stellenweise unversehrt erhaltenen Gusshaut ersichtlich.

2. Um dem Relief die nötige Höhe zu geben, musste der Metallkünstler die zu der künftigen (heute verlorengegangenen) Hintergrundplatte ungefähr senkrecht gerichteten Seiten des Reliefs biegen, beziehungsweise einziehen. Da die Platte hier für diese Arbeit zu dick war, hämmerte er die Ränder der Platte, bis die gewünschte Dicke erreicht war, wobei sich das Material seitwärts dehnte. Auf das nicht ganz gleichmässige Hämmern und auf diese Dehnung der Platte ist die stark variierende Dicke der nach dem Abschluss der Arbeit abgeschnittenen oder abgefeilten Ränder zurückzuführen. Zur eigentlichen Aufrichtung der Seiten bog er die nun dünner gewordenen Ränder der Platte oder hämmerte sie über einem runden Amboss von der Aussenseite her – wohl so, wie es Theophilus im XXVI. Kapitel seiner *Diversarum artium schedula* für die Verengung der Kuppa eines Kelches vorschreibt. Bei diesem Arbeitsvorgang sind offensichtlich die erwähnten Sprünge und Brüche entstanden.

3. Anschliessend wurde die Vorderseite ziseliert, die groben Formen durch Arbeit mit Punzen verschärft und verdeutlicht. Die Löcher für die Befestigung des Reliefs an die emaillierte Hintergrundplatte und für den Einsatz der Glasperlenaugen wurden durchschlagen, die gesondert gegossenen Hände eingesetzt und angelötet und die Vorderseite feuervergoldet.

In bezug auf die letztgenannten Arbeitsvorgänge können wir noch folgende Beobachtungen anschliessen: ungefähr in der Mitte der Fusspartie wurde ein Loch mit einem Niet verschlossen (vgl. Abb. 2 zwischen der Mittelachse und dem weissen Feld rechts). Das überflüssige, beim Einsetzen der gegossenen Hände verwendete Silberlot ist übergelaufen: seine Spuren können wir von einer der Lotstellen über die Brustpartie hin bis zu den

---

[3] M.-M. GAUTHIER, L'Ange (–) de Saint-Pierre du Dorat. Bulletin de la Société archéologique et historique du Limousin. 122ᵉ année, tome XCIV, Limoges 1967, S. 119.

Abb. 2. Mariengruppe von einer Kreuzigung.
Rückseite (vgl. Abb. 1).

Köpfen verfolgen. Die Feuervergoldung bedeckt – abgesehen von einigen Stellen, wo sie abgerieben ist – die ganze Oberfläche des Reliefs und ist sogar in unregelmässigen Einschlüssen an den Kanten vorhanden.

Für sich allein genommen, lässt sich die Gruppe ikonographisch noch nicht deuten; sie kann nur als Teil einer grösseren Komposition verstanden werden. Hier drängt sich sogleich der Gedanke an eine mehrfigurige Kreuzigungs-Darstellung mit einer Gruppe von trauernden Frauen (Marien) auf.

Derartige Darstellungen der Kreuzigung lassen sich bis ins 6. Jahrhundert zurückverfolgen[4].
Vor dem Ende des 13. Jahrhunderts kommen sie in der byzantinischen Kunst ungemein häu-
figer vor als im Westen, wo man lange die einfache symmetrische Komposition mit Maria
und Johannes, zuweilen mit Longinus und Stephaton oder Ecclesia und Synagoga, bevor-
zugte. In der mittelbyzantinischen Kunst finden sich mehrere Beispiele der vielfigurigen
Kreuzigung, wo die «Myrophoren» eine unserem Relief nicht unähnliche, im Umriss geschlossene Gruppe bilden. Wir können beispielsweise nennen: ein Elfenbein-Triptychon der
frühchristlichen Sammlung in Berlin (10. Jh.)[5], ein Steatitrelief des Byzantinischen
Museums in Athen (12. Jh.)[6], eine Emailplatte des oberen Teils der Pala d'Oro in Venedig
(12. Jh.)[7] und Wandmalereien in verschiedenen Höhlenkirchen von Kappadokien[8]. Einige
Beispiele finden wir im von der byzantischen Kunst beeinflussten Italien, so in Sant'An-
gelo in Formis (1075–1100)[9], wo die trauernden Frauen abseits der monumentalen Dreier-
gruppe Christus-Maria-Johannes stehen, oder in der Domkrypta in Aquileia (12./13. Jh.)[10],
wo die byzantinische Komposition im wesentlichen beibehalten ist. Kreuzigungsgruppen
mit trauernden Frauen finden wir auch auf italienischen Kreuztafelbildern des 12.
und 13. Jahrhunderts (das Kreuz von Maestro Guglielmo im Dom zu Sarzana aus dem
Jahre 1138[11], Kreuze im *Museo Nationale di San Matteo* zu Pisa[12] und in der *Pinacoteca* zu
Lucca[13]). Als Gegenstück zur Frauengruppe kommen in diesen byzantinischen oder
byzantinisierenden Kompositionen Johannes und zuweilen der Hauptmann vor, beide als
Zeugen der Göttlichkeit Christi. Nachdem Niccolo Pisano das byzantinische Schema des
Kalvarienberges mit vielen Figuren an den Kanzeln in Pisa und Siena verwendet hatte[14],
wurde es auch von Duccio in seiner Maestà übernommen, worauf sich dieser Typus in
der Tafelmalerei des 14. und 15. Jahrhunderts allgemein verbreitete.
Vor diesem Zeitpunkt kommt aber die durch Nebenfiguren erweiterte Kreuzigungsdar-
stellung in der westlichen Ikonographie sehr selten vor, wobei sie eher den Charakter
einer noch unverbindlichen, individuellen ikonographischen Lösung hat: die Wandmale-

---

[4] Die älteste erhaltene Darstellung finden wir im Rabula-Codex aus dem Jahre 586 (Florenz, Bibl. Medica
   Laurentiana, Cod. Plut. 1, 56, fol. 13). Vgl. K. WESSEL, Die Kreuzigung (Recklinghausen 1966) S. 12, 13. –
   G. SCHILLER, Ikonographie der christlichen Kunst, Bd. 2 (Gütersloh 1968), S. 102, Abb. 327.

[5] WESSEL, Abb. S. 59.

[6] WESSEL, Abb. S. 64.

[7] H. R. HAHNLOSER (Hrsg.), La Pala d'oro (Firenze 1965), Tav. XLIV, S. 40f.

[8] M. RESTLE, Die byzantinische Wandmalerei in Kleinasien (Recklinghausen 1967), Erster Tafelband (II)
   Abb. 31, 117, 183, 209, 237, Zweiter Tafelband (III) Abb. 366, 463.

[9] SCHILLER, Abb. 348.

[10] O. DEMUS, Romanische Wandmalerei (München 1968), S. 128, Taf. 59.

[11] D. CAMPINI, Giunta Pisano Capitani e le croce dipinte romaniche (Milano 1966), Tav. I.

[12] CAMPINI, Tav. III.

[13] CAMPINI, Tav. IV.

[14] G. SWARZENSKI, Nicolo Pisano (Frankfurt a. M. 1926), Abb. 8, 33.

Abb. 3. Kreuzigung. Missale des Henri of Chichester, Fol. 152.
Manchester, John Rylands Library.

rei in Schwarzrheindorf (Mitte des 12. Jh.) [15] zeigt links vom Kreuz Johannes, der sich in
Erfüllung des Gebots Christi der Gottesmutter annimmt; ein Dachrelief des Albinus-
Schreins (um 1184) in St. Pantaleon in Köln [16] zeigt ebenfalls eine Johannes-Maria-
Gruppe, in der Johannes die vom Schmerz gebrochene Maria stützt. Eine Komposition,
in deren Zusammenhang unsere Frauengruppe denkbar wäre, würde innerhalb der westeuropäischen Kunst des 13. Jahrhundertes vollkommen isoliert vorkommen, wenn es nicht
ein Kreuzigungsbild im Missale des Henri of Chichester (etwa 1228–1256) in der *John*

[15] SCHILLER, Abb. 505.
[16] SCHILLER, Abb. 506.

Rylands Library in Manchester[17] gäbe, das uns eine ungefähre Vorstellung einer derartigen Komposition vermittelt (Abb. 3). Auf dem Folio 152 (r) finden wir eine ganzseitige Darstellung der Kreuzigung, wo links unter dem Kreuz Maria mit den Worten «Anima mea liquefacta est», die dem Spruchband eingeschrieben sind, in die Arme der hinter ihr stehenden Frau sinkt. Rechts vom Kreuz steht Johannes, jedoch ohne den Hauptmann. Unser Relief bleibt an Ausdruckskraft hinter der Miniatur zurück. Maria sinkt hier nicht ohnmächtig mit schlaff niederhängenden Armen hin, sondern steht, nur leicht von der andern Frau gestützt, mit schmerzvoller Gebärde da. Trotz dieses Unterschiedes deuten diese beiden Darstellungen auf den gleichen ikonographischen Typus hin.

Im Jahre 1963 ist die Marien-Gruppe an die Abegg-Stiftung übergegangen[18]. Im folgenden Jahr ist die Stiftung ihrer Limoges-Arbeiten wegen in schriftlichen Kontakt mit Marie-Madeleine Gauthier getreten, deren unpublizierte Mitteilung zu der Marien-Gruppe wesentliche Informationen über dieses Relief und dessen Geschichte enthält: Die Marien-Gruppe war im 19. Jahrhundert an einen Schrein der Sammlung Germeau appliziert; dieser war unter Verwendung alter Teile (Reliefs und Säulen) wahrscheinlich für den kunstliebenden Präfekten von Haute-Vienne[19] montiert worden. Dieser Schrein ist in alten Ausgaben des *Petit Larousse* unter dem Schlagwort *Gothique* abgebildet[20]. In einer Liste führte Marie-Madeleine Gauthier weitere Kupferreliefs auf, die, alle zwischen 29 und 36 cm hoch, den gleichen oder einen ähnlichen Stil aufweisen. Es handelt sich um die folgenden Stücke: Taufe Christi (Boston, *Museum of fine Arts*, ehemals Sammlung Germeau) (Abb. 14), Gefangennahme Christi (Baltimore, *Walters Art Gallery*) (Abb. 16), Salbung des Leichnams (Minneapolis, *Institute of Arts*, ehemals Sammlung der Comtesse Dzialynska, Schloss Goluchow) (Abb. 18), Geisselung Christi (Paris, *Musée de Cluny*) (Abb. 17), Abendmahl (ebenda) (Abb. 15), Kreuzabnahme (damals Sammlung Salavin, ehemals an dem Germeau-Schrein, jetzt in der Abegg-Stiftung) (Abb. 4) und Figur des Hauptmanns (1938 im Kunsthandel, heute Sammlung Nicolas E. Landau, Paris, ehemals ebenfalls an dem Germeau-Schrein) (Abb. 9); ferner sind als vergleichbar noch die folgenden Werke genannt: Tabernakel von Cherves-en-Angoumois (New York, *Metropolitan Museum of Art*) (Abb. 12), Tabernakel des Schatzes der Kathedrale zu Chartres, eine Gruppe mit dem hl. Petrus aus der Sammlung Martin Le Roy und Grablegung eines Bischofs (London, *Wallace Collection*).

---

[17] Lat. MS. 24; vgl. E. G. MILLAR, La miniature anglaise du Xe au XIIIe siècles (Paris, Bruxelles 1926), S. 109, Pl. 84 b. – D. DIRINGER, The illuminated book (London 1967), S. 268, Fig. V-11 c.
[18] Schenkungsurkunde vom 15. Juni 1963, S. 5.
[19] Vgl. M.-M. GAUTHIER, Musée Municipal de Limoges. Les collections d'émaux champlevés. Acquisitions récentes, La Revue du Louvre et des Musées de France 1968, No 6, S. 448.
[20] Z.B. Ausgabe 1913, S. 437.

Abb. 4. Kreuzabnahme. Kupfer vergoldet, H. 31,5 cm. Abegg-Stiftung Bern.

Im Herbst 1972 ist es der Abegg-Stiftung gelungen, das Kreuzabnahme-Relief aus der Sammlung Salavin bei deren Versteigerung im *Hôtel Drouot*[21] zu erwerben (Abb. 4,5,6,20); seitdem befindet sich dieses Relief mit seinem Gegenstück vom Germeau-Schrein wiederum in einer Sammlung vereinigt.

Die Kreuzabnahme (Inv.Nr. 8.191.72, H. 31,5 cm, B. 24,5 cm) stimmt mit der Marien-Gruppe, was die Höhe der Figuren, den Stil und die technische Beschaffenheit betrifft, weitgehend überein. Die Gesichter der Maria von der Kreuzabnahme und der zwei Frauen sind zum Verwechseln ähnlich (Abb. 5). Die Draperie ist in beiden Reliefs mit gepunzten Linien «vorgezeichnet» und weist gleiche Motive auf. Die Rückseite des Kreuzabnahme-Reliefs trägt die gleichen Spuren von Hammerschlägen wie die Marien-Gruppe. Nichts spricht gegen die Möglichkeit, dass die beiden Reliefs einst, noch bevor sie im 19. Jahrhundert an den Germeau-Schrein appliziert wurden, zu der gleichen Reihe von Reliefs gehört hatten.

Mit zahlreichen mehr oder weniger engen Zwischenräumen in seinem komplizierten Figurengefüge stellte dieses Relief den Metallkünstler vor technische Probleme, die nicht leicht zu bewältigen waren. Obwohl die Rückseite des Reliefs (Abb. 6) ähnlich wie jene der Mariengruppe aussieht, scheint hier der Anteil der Arbeit an der abgekühlten Kupferplatte bei der Herstellung der rohen Form geringer zu sein, als es bei der im Umriss geschlossenen Zweiergruppe der Fall ist; der Künstler hat allem Anschein nach mehr an der glühenden Kupferplatte gearbeitet, der er wohl mittels eines hohlen Models die ungefähre Gestalt des Reliefs gab. Das Relief ist massiver als die Mariengruppe; die Dicke der Metallwand variiert zwischen 1 und beinahe 3 mm; sein Gewicht beträgt 1050 g. Das Netz winziger Sprünge, die «Haut», zieht sich zuweilen auch über die Hammerspuren hin, woraus zu schliessen ist, dass diese letzteren von der Schmiedearbeit und nicht von der Treibarbeit herrühren. Auch scheint es, dass der Künstler nach dem Abkühlen des Metalls an den Rändern viel weniger arbeiten musste, als es bei der Mariengruppe der Fall war: die Ränder sind im allgemeinen stärker – meistens zwischen 1,8 und 2,5 mm –, die zerfurchte «Haut» reicht an den meisten Stellen bis zu den Rändern, und nur an einer Stelle finden wir einen Bruch, der auf eine im abgekühlten Zustand erfolgte Bearbeitung der Ränder durch Biegen oder Hämmern schliessen lässt. Dieser Sprung, der sich in Form eines «V» leicht öffnet, befindet sich an der äusseren Umrisslinie des Halses der Marienfigur (Abb. 6), wo die Wand durch Unterlegung eines Kupferblattes verstärkt ist. Interessanterweise ist dieses Relief am gleichen Ort verstärkt wie die Mariengruppe (vgl. Abb. 2 und 6). Während aber die Verstärkung bei der Mariengruppe angelötet ist, wurde sie hier noch im glühenden Zustand mit der Metallwand verschmolzen, so dass sie nur bei

[21] (Katalog) Collection L. Salavin (Première vente), Hôtel Drouot, 22. November 1972 (CH. RATTON), Nr. 47.

Abb. 5. Kreuzabnahme. Detail (vgl. Abb. 4).

genauerem Betrachten an der sie umgrenzenden zackigen Linie zu erkennen ist. Der Sprung muss entstanden sein, als man den Rand nach innen presste oder hämmerte.

Auch die Köpfe der Maria und des Joseph sprechen gegen eine Treibarbeit an diesen Stellen: gegenüber der etwa 1 mm dicken Metallwand der Gesichter bei der Mariengruppe weisen diese beiden Köpfe eine Dicke von 1,4 bis 2,6 mm auf. In schroffem Gegensatz dazu steht jedoch der Christuskopf, der, aus einem am Gesicht 0,5 bis 1 mm dicken Blech gearbeitet, offenbar getrieben ist. Der Kopf war abgebrochen und ist mittels zweier unterlegter Blechstücke mit dem Körper verbunden. Die Befestigung erfolgte durch fünf Niete. Es muss sich um eine Reparatur handeln, die im Rahmen der Herstellung gemacht wurde, da die Punzierung der Haare an der Verbindungsstelle, wo das Unterlegblech etwas sichtbar ist, und auch auf zweien der Niete dieselbe ist wie an den übrigen Teilen. – Der Grund für die Unterschiede zwischen dem Christuskopf und dem übrigen Relief ist nicht genau ersichtlich. Vielleicht gelang es dem Metallkünstler nicht, den Kopf im glühenden Zustand wunschgemäss zu formen, da die Kupferplatte an der entsprechenden Stelle nicht genügend dick war; wohl deshalb sah sich der Künstler gezwungen,

die feinere Treibarbeit anzuwenden, wobei der Kopf abgebrochen wurde. Bei der Ziselierung der Vorderseite des Christuskopfes ist die dünne Metallwand der Wange durch-
stossen worden.

Der Knoten des Lendentuchs wurde gesondert gegossen und danach eingesetzt. Dieser
Umstand lässt u. E. die Möglichkeit, dass das Relief als Ganzes gegossen worden ist, als
wenig wahrscheinlich erscheinen.

Anhand der technischen Eigenheiten des Reliefs schliessen wir auf ein kombiniertes Her-
stellungsverfahren, bei dem der Metallkünstler die rohe Form bereits durch die Bearbeitung der glühenden Kupferplatte erhielt (mit Ausnahme des Christuskopfes); die feine
Ziselierung auf der Vorderseite des Reliefs wird ähnlich vor sich gegangen sein wie bei
der Mariengruppe, wo die punzierten Details, die durchstossenen Löcher mit «Brauen»
auf der Rückseite und die Art und Weise, wie die Glasaugen eingesetzt sind, völlig mit
dem Kreuzabnahme-Relief übereinstimmen [22].

Das ikonographische Schema der Kreuzabnahme mit Maria, die eine oder beide Hände
Christi in den ihren hält, mit Joseph von Arimathia, der den leblosen Körper in seine mit
einem Tuch verhüllten Arme aufnimmt, und mit Nicodemus, der sich um die Befreiung
der Füsse Christi müht, war seit dem 12. Jahrhundert im Abendland geläufig. Von mehreren Beispielen nennen wir ein Panneau des Passionsfensters von der Westfassade der
Kathedrale von Chartres (1150–1155), eine Miniatur des Psalters *Royal* MS. I D. X. des
British Museum (Anfang des 13. Jahrhunderts) und ein Panneau, das, vom Passionsfenster
der *Sainte Chapelle* in Paris stammend, sich jetzt in der Kirche von Twycross (Lancester-
shire) in England befindet (vierziger Jahre des 13. Jahrhunderts) [23]. Im Unterschied zu
diesen Darstellungen fehlt auf unserem Relief die Gestalt des Johannes auf der rechten
Seite; der Zustand der Ränder des Reliefs schliesst aus, dass sich dort ursprünglich eine
Johannesfigur befunden hat. Unseres Wissens steht das Relief in dieser Hinsicht einzig da.
Als unser Relief im 19. Jahrhundert an den neuen Schrein montiert wurde, hat man an
die Stelle, wo sich üblicherweise Johannes befindet, eine trauernde verhüllte Gestalt beigefügt. Wir besitzen keine einleuchtende Erklärung, warum Johannes auf unserem Relief
ausgelassen ist. Wir können höchstens darauf hinweisen, dass Maria und Johannes in der

[22] Die Basis für die Schlüsse, die wir hinsichtlich der Technik gezogen haben, liesse sich noch erweitern,
      wenn auch andere heute zur Verfügung stehende Untersuchungsmethoden, die wir bisher noch nicht
      heranziehen konnten, angewandt würden und wenn sich diese Untersuchung auch auf das Vergleichs-
      material erstreckte. Von einer Untersuchung der technischen Eigenheiten der übrigen verwandten
      Reliefs dürfen wir Ergänzungen, beziehungsweise Berichtigungen unserer Vorstellung über die verwen-
      deten Metalltechniken erwarten.
[23] E. Mâle, L'Art religieux du XIIᵉ siècle en France (Paris 1924), Fig. 92.— Millar, Fl. 65. – M. Aubert,
      L. Grodecki, J. Lafond, J. Verrier, Les vitraux de Notre-Dame et de la Sainte-Chapelle de Paris (Paris
      1959), Pl. 101 (6).

Abb. 6. Kreuzabnahme. Rückseite (vgl. Abb. 4).

Kreuzabnahmedarstellung nicht unerlässlich sind, da von ihnen in den vier Evangelien in diesem Zusammenhang nicht die Rede ist. Sie wurden in die Ikonographie der Kreuzabnahme von der Kreuzigungdarstellung übernommen[24]. In Hinsicht auf unser Relief können wir uns fragen, ob die Auslassung des Johannes und die Beibehaltung der Maria, die als aktive Mithelferin bei der Kreuzabnahme die wichtigste Stelle neben dem toten Christus und Joseph von Arimathia einnimmt, ein Zeichen derjenigen Tendenz ist, die im folgenden Jahrhundert das neue Thema der Beweinung hervorbringen wird, ein Thema, das zuweilen die Kreuzabnahme in Passionszyklen ersetzt und in dem Maria die wichtigste Person ist.

Die Besprechung des Reliefs im Auktionskatalog des *Hôtel Drouot* bringt weitere Informationen. Neben der erwähnten Abbildung des Germeau-Schreins im *Petit Larousse* ist dort auf eine weitere Abbildung hingewiesen, die in *L'Art pour tous* (Nr. 284 vom 15. April 1870) publiziert worden ist, auf der die beiden Reliefs mit Sicherheit wiedererkannt werden können (Abb. 7). Im Begleittext[25] zu dieser Abbildung meint Claude Sauvageot bedauernd, dass er nicht wisse, wo sich dieser Schrein seit der Auflösung der Germeau-Sammlung befindet[26], da er gerne weitere Einzelheiten der «reichen Verzierung» in dieser Zeitschrift abgebildet hätte.

Erst im Jahre 1930, etwa gleichzeitig mit der Mariengruppe, tauchte das Kreuzabnahme-Relief, ebenfalls vom Schrein getrennt, aus der Verborgenheit auf, als es mit der Sammlung Peltier im *Hôtel Drouot* versteigert wurde.

In den Auktionsräumen des gleichen Hauses sollte das Relief künftig noch zweimal erscheinen: einmal, am 20. Juli 1961, im Rahmen einer anonymen Sammlung[27], noch in Verbindung mit dem emaillierten Kreuz, mit dem zusammen es am Germeau-Schrein montiert war, und wiederum an der oben bereits erwähnten Auktion vom 22. November 1972, bereits ohne das Kreuz.

[24] Mâle, S. 102. – Schiller, S. 177f., Abb. 544, 545, 546, 547.

[25] Der dreisprachige Text lautet: «Wir wissen nicht, in welche Hände dieses prächtige Reliquienkästchen seit dem Verkauf der Sammlung des Herrn Germeau geraten ist, und wir bedauern es, da wir gerne verschiedene Einzelheiten der Verzierung, mit welchen es wahrlich verschwenderisch bedeckt ist, unseren Lesern gezeigt hätten. – Die hervortretenden Figuren, welche jedes Fach schmücken, sind geschmackvoll und stehen durchaus der erhabenen Schmelzarbeit der Säulen, dem schönen Kreuz und den auf dem Dach befindlichen Tafeln nicht nach. Der Grund des Möbels ist mit einer Art Guillochierung verziert und der obere Theil dieses Reliquienkästchens dachziegelartig geschmückt.»

[26] Im Versteigerungskatalog der Sammlung Germeau (4.–7. Mai 1868) ist der Schrein jedoch nicht angeführt; vgl. Ch. Pillet, Ch. Mannheim, Catalogue des objets d'art et de haute curiosité composant la précieuse collection de feu M. Germeau (Paris 1868).

[27] (Katalog) Objets de haute curiosité, Collection de M. X..., Hôtel Drouot, 20 juin 1961 (Ch. Ratton), Kat. Nr. 8, S. 4, Pl. IV.

II

Der Germeau-Schrein, dessen Aussehen uns durch die Abbildungen im *Petit Larousse* und in *L'Art pour tous* überliefert ist, ist interessant nicht nur als zeitweiliger Träger unserer beiden Reliefs, sondern auch als ein Kuriosum, das uns Einblick in den merkwürdigen Charakter des Sammlertums der Zeit der Romantik gewährt.

Zu den zwei obgenannten Abbildungen des Schreines können wir noch eine alte Photographie beifügen, die in das Bildarchiv des *Musée des Arts décoratifs* in Paris gelangt ist (Abb. 8). Diese Aufnahme zeigt die gleiche Längsseite des Schreins wie die beiden anderen Darstellungen und ergänzt, abgesehen von der genauen Wiedergabe einiger Einzelheiten, die auf den Reproduktionen nicht klar oder sogar falsch abgebildet sind, nur in Details unsere Vorstellung vom Schrein.

Der Germeau-Schrein war im Jahre 1865 in der Ausstellung *Musée rétrospectif de l'Union centrale des Beaux-Arts appliqués à l'industrie* zu sehen; in der Besprechung dieser Ausstellung durch Alfred Darcel in der *Gazette des Beaux-Arts*[28] wurde ihm eine hohe Einschätzung zuteil. Weder in dieser Besprechung noch im Begleittext zu der Abbildung in *L'Art pour tous*[29] finden wir Hinweise darauf, dass auch die übrigen Seiten des Schreins ähnlich mit Reliefs verziert waren. Besonders bei Darcel ist es höchst unwahrscheinlich, dass er sie nicht erwähnt hätte, wären sie damals wirklich vorhanden gewesen. Claude Sauvageot spricht zwar von «hervorragenden Figuren, welche jedes Fach schmücken», aber dies bezieht sich offensichtlich nur auf die drei Arkaden der Schauseite. Auch wo er das «schöne Kreuz» erwähnt, gilt es allem Anschein nach dem heute von dem Kreuzabnahme-Relief getrennten Kreuz. So können wir aus diesen Texten schliessen, dass die restlichen Seiten des Schreines ohne Reliefs und nur mit Säulchen geschmückt waren.

Der Germeau-Schrein, dessen Länge auf etwa 62–65 cm geschätzt werden kann, trug Formen einer gotischen Architektur (Abb. 7, 8). Seine Längsseiten waren in drei Arkaden mit Wimpergen geteilt, die von niederrheinischen spätromanischen emaillierten Säulchen getragen wurden[30]. Unter den Arkaden der Schauseite waren: links unsere Marien-Gruppe, in der Mitte die Kreuzabnahme, der noch eine verhüllte weinende Figur beigefügt war, und rechts Johannes mit dem Hauptmann. Die Abstände zwischen den Säu-

[28] Gazette des Beaux-Arts, Paris 1865, S. 439-40.
[29] Vgl. Anm. 25.
[30] Säulchen mit gleichen Kapitellen wie jene auf den Abbildungen des Germeau-Schreins befinden sich in Baltimore (Walters Art Gallery), Boston (Museum of Fine Arts), Detroit (Detroit Institute of Arts), Leningrad (Staatliche Ermitage), New York (Metropolitan Museum of Art) und Riggisberg (Abegg-Stiftung Bern). Bei einigen Säulchen ist ihre Herkunft aus der Germeau-Sammlung bekannt. Im Versteigerungskatalog vom Mai 1868 (siehe Anm. 26) sind sie nicht angeführt.

Abb. 7. Schrein. Pasticcio des 19. Jahrhunderts. Ehemals in der Sammlung Germeau.
Abbildung in L'Art pour tous, 9. Jahrgang, Nr. 248, 1870.

Abb. 8. Schrein (vgl. Abb. 7). Originalphotographie im Bildarchiv des
Musée des Arts décoratifs, Paris.

len richteten sich nicht nach dem Rhythmus der Arkaden und Wimperge, sondern
nach der Breite der Reliefs. So kam es, dass sich das innere Säulenpaar nicht genau in
der Mitte zwischen der mittleren und den seitlichen Arkaden befand, sondern merklich
nach aussen gerückt war, so dass man für die Kreuzabnahme genügend Platz hatte.

Dass es sich um ein Pasticcio handelte, ist nicht nur daraus ersichtlich, dass das Kreuzabnahme-Relief nicht gut in die Architektur des Schreines passt und dass dort niederrheini-
sche Säulchen zusammen mit Reliefs französischer Herkunft verwendet wurden; auch die
Ikonographie der Schauseite schliesst die Ursprünglichkeit dieser Anordnung aus. Die
Gruppe der trauernden Frauen kommt zwar ausnahmsweise in byzantinischen Darstellungen der Kreuzabnahme vor, es ist aber unwahrscheinlich, dass ein mittelalterlicher
Goldschmied in Frankreich dieser bei der Kreuzabnahme sogar in Byzanz nur sehr selten
vorkommenden und nebensächlichen Gruppe eine ganze Arkade eingeräumt hätte. Wir
haben übrigens gesehen, dass die Gruppe trauernder Frauen in der westlichen Kunst des
13. Jahrhunderts sogar bei Kreuzigungs-Szenen keineswegs geläufig war. Noch weniger

passt in diesen Zusammenhang der Hauptmann in der rechten Arkade, da er, wie es auch aus dem Evangelientext hervorgeht, nicht bei der Kreuzabnahme, sondern nur bei der Kreuzigung zugegen war. Im Kreuzabnahme-Relief selbst, wo erstaunlicherweise Johannes fehlt, wurde an der eigentlich ihm vorbehaltenen Stelle bei der Montierung des Germeau-Schreines die drapierte Frauengestalt gesetzt; eine offensichtlich einer andern Gruppe entnommene Johannes-Figur wurde hingegen in der rechten Arkade neben dem Hauptmann angebracht. Wie uneinheitlich die figürliche Ausschmückung des Schreins war, lässt sich an den Basen einzelner Figuren oder Gruppen erkennen: während die zwei Marien auf einer runden Basis stehen, die nur mit Punktierung verziert ist, ist der Boden bei der Kreuzabnahme und bei dem Hauptmann als unregelmässiger Wulst mit gestochenen vegetabilischen Motiven gegeben (Abb. 9). Johannes hingegen steht auf einer steil ansteigenden kegelförmigen Basis, ähnlich wie die Apostel des Schreins von Châlard.

Auch das Kreuz, das noch im Jahre 1961 mit der Gruppe verbunden war, verdient unsere Aufmerksamkeit. Auf der alten Photographie oder auf einer Aufnahme des Zustandes aus dem Jahre 1961[31] (Abb. 8, 10) können wir es deutlicher sehen als auf der Abbildung in *L'Art pour tous*, wo einige Details nicht richtig abgebildet sind. Die Kreuzesbalken endigen dreipassförmig und sind mit einem auf emailliertem Grund ausgesparten, stilisierten Zweig verziert. Am oberen Balken erscheint die Inschrifttafel, und unter dem Suppedaneum ist eine kleine Gestalt des erlösten Adam zu sehen. Auf der alten Photographie des Schreins oder auf der Aufnahme des Reliefs etwa aus dem Jahre 1961 (Abb. 10) – nicht aber auf der lithographischen Reproduktion in *L'Art pour tous* – sehen wir im Kreuzpunkt der Balken einen unvollständig dargestellten, von der Mitte etwas nach links gerückten emaillierten Heiligenschein mit eingeschriebenem Kreuz, der zu weit vom Kopf Christi entfernt ist, um als ihm zugehörig gelten zu dürfen. Dieses Detail führt zum Verdacht, dass das Kreuz nicht ursprünglich für das Kreuzabnahme-Relief gedacht war. Der Verdacht wird durch die Existenz eines Kruzifixes bestärkt, dessen Kreuz fast genau gleich verziert ist wie das Kreuz vom Germeau-Schrein. Es handelt sich um ein Kruzifix aus der ehemaligen Sammlung Spitzer, das sich jetzt im *Musée de Picardie* in Amiens befindet (Abb. 11)[32]. Neben dem fast gleich stilisierten Zweig auf dem Balken und den gleichen Endungen finden wir auf dem Kreuz von Amiens den gleichen unvollständigen Heiligenschein, der hier jedoch richtig hinter dem nach links geneigten Kopf des Gekreuzigten erscheint. Es ist wahrscheinlich, dass das Kreuz des Germeau-Schreins von einem solchen Kruzifix, bzw. von einer Kreuzigungsgruppe stammt oder nach einem solchen Vorbild kopiert wurde.

---

[31] Die Aufnahme hat mir Herr Ch. Ratton freundlicherweise zur Verfügung gestellt.
[32] E. Molinier, La collection Spitzer, tome I (Paris 1890), Orfévrerie religieuse, Kat. Nr. 75, S. 120.

Abb. 9. Hauptmann. Kupfer vergoldet.
Paris, Sammlung Nicolas E. Landau.

Abb. 10. Kreuzabnahme (vgl. Abb. 4).   Abb. 11. Kruzifix. Kupfer vergoldet, Gruben-
        Zustand im Jahre 1961.   schmelz, H. 43,5 cm. Amiens, Musée de Picardie.

Dass es zur Beifügung des Kreuzes zu unserem Relief erst später gekommen ist, ergibt sich
aus dem Zustand der Ränder des Reliefs, die an den Stellen, wo sich das Kreuz darunter befand, abgefeilt sind (Abb. 6: Umrisslinien der linken Hand Christi, seiner Schulter und des
Scheitels des Marienkopfes). Entscheidend ist in dieser Beziehung nicht, dass die Feuervergoldung an den abgefeilten Stellen fehlt, obwohl sie sonst auf den Stegen überall vor-
kommt, sondern dass hier ein Unterschied in der Farbe der Patina gegenüber den un-
berührten Stellen besteht: die Rückseite des Reliefs weist einen dunkelbraunen Ton auf,
während an den abgefeilten Kanten das Rot des Kupfers noch deutlich durchschimmert.
Falls die Ränder des Reliefs ursprünglich gleich hoch gewesen sind – so dass die abgefeilten Stellen erst im 19. Jahrhundert, und dabei nicht als Neubearbeitungen älterer Verän-

Abb. 12. Tabernakel aus Cherves-en-Angoumois. Mittelteil. Holz, Kupfer vergoldet, Grubenschmelz. New York, The Metropolitan Museum of Art, Gift of J. Pierpont Morgan 1917.

Abb. 13. Kreuzigung. Psalter des Robert de Lindeseye, Fol. 35. London, Society of Antiquaries MS. 59.

derungen des Randes entstanden sind –, dürfen wir uns mit gutem Grund das ursprüngliche Kreuz emailliert oder ausgespart auf der Hintergrundplatte denken.

Ganz abgesehen von diesen Fragen verdient die Verzierung der Balken beider Kreuze mit einem stilisierten Zweig nähere Betrachtung. Derartige Darstellungen des Kreuzes als *arbor vitae* sind im 13. Jahrhundert keine häufige Erscheinung. Ein auch sonst bis zu einem gewissen Mass mit unserem Relief vergleichbares Werk, das Tabernakel, das im Jahre 1896 in Plumejeau bei Cherves-en-Angoumois gefunden wurde und sich jetzt im *Metropolitan Museum of Art* in New York befindet (Abb. 12)[33], zeigt eine Kreuzabnahme, auf deren Kreuz die Idee des Lebensbaumes durch eine ähnliche vegetabilische Verzierung ihren Ausdruck findet. Die aus einem Stamm hervorwachsenden kurzen Zweige stimmen mit der «Baumdarstellung» auf unseren zwei Kreuzen jedoch nicht überein.

[33] M.-M. GAUTHIER, Emaux du moyen âge (Fribourg 1972), S. 372, Kat. Nr. 130.

Eine Darstellung des Kreuzes als Lebensbaum mit ähnlich wie auf unseren beiden Kreuzen gabelförmig angeordneten Blättern sehen wir hingegen auf dem Folio 35 (v) im Psalter des Robert de Lindeseye, des Abtes von Peterborough, aus den Jahren 1220–1222
(Abb. 13)[34]. Diese Darstellung kann gut als Vorstufe der Baumdarstellungen auf unseren
beiden Kreuzen betrachtet werden.

Das Kruzifix von Amiens ist für uns auch wegen seines Corpus wichtig, der mit dem
Christus unserer Kreuzabnahme eng verwandt ist. Man hat fast den Eindruck, dass es
sich um die gleichen Figuren handelt, die sich nur in ihrer Lage am Kreuz unterscheiden.
Die Anordnung der Draperie des Lendentuches, die Art, wie die Füsse angenagelt sind,
der Gesichtstypus und die weiche Modellierung des etwas gerundeten Bauches stimmen
bis in Details überein. Der Schluss liegt nahe, dass das Kruzifix von Amiens und das
Kreuzabnahme-Relief der gleichen Gruppe angehörten und dass das Kruzifix ursprünglich mit der Marien-Gruppe zu einer einzigen Szene verbunden war. Diese Annahme bedarf jedoch noch der Stützung durch einen genauen Vergleich der Rückseiten und des
Materials beider Stücke.

III

Von der oben zitierten Liste der verwandten Reliefs stehen besonders jene mit christologischen Szenen unseren zwei Stücken sehr nahe, so dass die mehrmals ausgesprochene Hypothese, dass sie alle von einem grösseren Gesamtwerk herkommen, sehr einleuchtend erscheint. Es ist jedoch nicht ohne weiteres möglich, ihren ursprünglichen Aufbewahrungsort zu ermitteln. Alle Spuren verlieren sich in verschiedenen Privatsammlungen des letzten
Jahrhunderts[35]. Die Bearbeitung der ganzen Gruppe von Reliefs setzt unter anderem den genauen Vergleich einzelner Stücke voraus, der auch technologische Aspekte in Betracht zie-

---

[34] MILLAR, S. 104, Pl. 69.

[35] Die Reliefs des Germeau-Schreins tauchen unseres Wissens zum ersten Male in der Ausstellung der *Union
Centrale* im Jahre 1865 auf, desgleichen das Relief der Taufe Christi, das damals ebenfalls der Germeau-
Sammlung angehörte, und die Salbung des Leichnams, die aus der Sammlung Czartoryski für die Ausstellung ausgeliehen wurde. Das Relief mit der Geisselung Christi befand sich schon in den dreissiger Jahren
des 19. Jahrhunderts in der Sammlung von Alexander du Sommerard, die im Jahre 1843 als *Musée des
Thermes et de l'Hôtel de Cluny* dem französischen Staat übergeben wurde (siehe A. DU SOMMERARD, Les Arts
du Moyen Age. Paris 1838–1846, tome V, S. 185, Album S. 424 2e série, pl. 38), während das Abend-
mahlsrelief erst im Jahre 1883 im Katalog des *Musée de Cluny* aufgeführt ist (E. DU SOMMERARD, Musée
des Thermes et de l'Hôtel de Cluny, Catalogue Description des objets d'art, Paris 1883, Nr. 4994). Die
Gefangennahme Christi wurde im Jahre 1923 durch die Walters Art Gallery in Baltimore erworben. Ein
Fragment – offensichtlich von einer Himmelfahrt Christi –, dessen gegenwärtiger Aufbewahrungsort uns
nicht bekannt ist, ist im Katalog der Sammlung Martin Le Roy von Molinier im Jahre 1906 abgebildet,
nachdem es schon im Jahre 1900 auf der Weltausstellung in Paris im Petit Palais gezeigt wurde.

hen müsste. Dies überschreitet den Rahmen dieser Studie, die nicht zuletzt eine solche Untersuchung der ganzen Gruppe anregen möchte und im folgenden lediglich auf einige Aspekte des Problems hinweisen und einige Gedanken beibringen will. Um dem Leser die Orientierung zu erleichtern, sei aber ein Überblick über den heutigen Stand der Forschung vorausgeschickt, soweit diese veröffentlicht ist.

Abgesehen von den Erwähnungen einzelner Reliefs in Sammlungs-, Ausstellungs- oder Versteigerungskatalogen des 19. und 20. Jahrhunderts wurde eine kunsthistorische Beurteilung der ganzen Gruppe erst im Jahre 1951 von Georg Swarzenski in seinem monographischen Aufsatz über die Bostoner Taufe Christi (Abb. 14) [36] unternommen. Vom Bostoner Relief ausgehend, sieht er die Geisselung Christi des *Musée de Cluny* und die Salbung des Leichnams (damals in der Sammlung von Sir Kenneth Clark in London, heute im *Minneapolis Institute of Arts*) als Arbeiten des gleichen Meisters an, während er für das Abendmahl im Cluny-Museum mit Beteiligung eines andern Meisters rechnet und die Gefangennahme Christi in Baltimore als Arbeit eines Nachfolgers des ersteren Meisters betrachtet. Angesichts der Arbeitsweise und der Arbeitsteilung in den Limousiner Werkstätten sieht er sich jedoch in der Frage der ausführenden Metallkünstler zu einem gewissen Vorbehalt gezwungen. Die übrigen verwandten Arbeiten führt Georg Swarzenski nicht im einzelnen auf; nur die Grablegung eines Bischofs (wir können sie wohl als Grablegung des hl. Dulcidus deuten) in der *Wallace Collection* in London ist als Beispiel des Einflusses der Gruppe von Reliefs um die Taufe Christi erwähnt. Im weiteren Zusammenhang nennt er den Schrein des hl. Viance in Saint-Viance und die Figur des hl. Petrus im *Musée de Limoges*. Was die Ikonographie des Bostoner Reliefs betrifft, weist Georg Swarzenski auf Parallelen hin im Sakramentar von Saint-Etienne in Limoges in der *Bibliothèque Nationale* in Paris, in einer Handschrift angeblich von Saint-Martial, ebenfalls in Limoges, in der *Pierpont Morgan Library*, sowie auf eine Reimser Handschrift im *British Museum*.

In seinem Aufsatz «Beiträge zur Limousiner Plastik des 13. Jahrhunderts», der ein Kopfreliquiar des Berliner Kunstgewerbemuseums zum Thema hat [37], stellt Rainer Rückert einen engen Zusammenhang zwischen unseren Reliefs und der Limousiner Produktion von kupfernen Kopfreliquiaren und Grabplatten fest. Er versteht die Reihe von Reliefs als einen christologischen Zyklus, der aus folgenden Stücken besteht: einer Geburtsszene (ehemals Sammlung Spitzer, jetzt *Musée Jacquemart-André* in Chaalis bei Ermenonville) (Abb. 19), der Bostoner Taufe Christi, dem Abendmahl und der Geisselung Christi in

---

[36] A Masterpiece of Limoges, The Bulletin of the Museum of Fine Arts XLIX, February 1951, S. 17f. Auf dieser Studie fusst im wesentlichen der Aufsatz von S. HUNTER, A plaque from Limoges (The Minneapolis Institute of Arts Bulletin, vol. XLVII, Nr. 3, 1958, S. 29–33), in dem das damals kürzlich erworbene Relief mit der Salbung des Leichnams vorgestellt wird.

[37] Zeitschrift für Kunstgeschichte, Band 22, Heft 1, Berlin 1959, S. 7–9.

Abb. 14. Taufe Christi. Kupfer vergoldet,
Grubenschmelz. Boston, Museum of Fine Arts.

Paris und der Salbung des Leichnams Christi in Minneapolis [38]. Er weist auf eine aus
dem 16. Jahrhundert überlieferte Beschreibung des Hauptaltars von Grandmont hin, auf

---

[38] Die von R. RÜCKERT angeführte «Geburtsszene», die im Katalog der Spitzer-Sammlung von MOLINIER
(tome I, S. 112, Nr. 46), als «Darstellung im Tempel» bezeichnet ist, scheint aber nicht zu einem christologischen Zyklus gehört zu haben. In Chaalis ist sie schon zutreffender als «Une scène du miracle»
beschriftet, und man wird sich nicht täuschen, wenn man diese Szene als Erweckung des Sohnes der
Witwe von Sarepta durch den Propheten Elias (die Figur rechts) versteht. Als solche kommt diese Szene
für einen christologischen Zyklus nicht in Frage, kann aber gut von einem typologischen Zyklus stammen. Dies spricht nicht gegen die Hypothese von RÜCKERT, dass die Reliefs von Grandmont stammen
(siehe weiter), da im Bericht vom dortigen Hochaltar die Rede von Szenen aus dem Alten und Neuen
Testament ist. Laut M.-M. GAUTHIER existierten aber szenische Zyklen auch in Bourganeuf und in der
Kollegialkirche Saint-Martial in Limoges, die gleichfalls in Betracht gezogen werden müssen (Mitteilung
an das Museum of Art in Cleveland, siehe Anm. 40). Vgl. auch G. SOUCHAL, Les émaux de Grandmont
au XII siècle, Bulletin monumental, CXXI, 1963, S. 50 f.

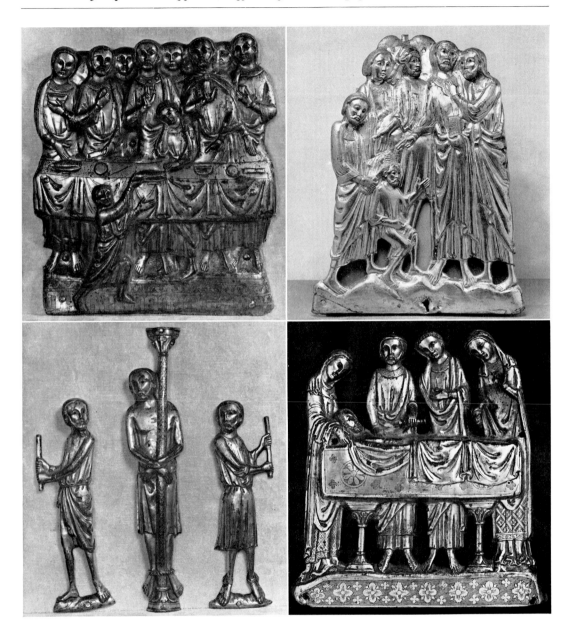

Abb. 15. Abendmahl. Kupfer vergoldet. Paris, Musée de Cluny.
Abb. 16. Gefangennahme Christi. Kupfer vergoldet. Baltimore, The Walters Art Gallery.
Abb. 17. Geisselung Christi. Kupfer vergoldet. Paris, Musée de Cluny.
Abb. 18. Salbung des Leichnams. Kupfer vergoldet. Minneapolis, The Minneapolis Institute of Arts.

Abb. 19. Erweckung des Sohnes der Witwe von Sarepta.
Kupfer vergoldet. Chaalis, Musée Jacquemart-André.

dem Szenen aus dem Alten und dem Neuen Testament dargestellt waren, und nimmt an, dass vielleicht nicht die Gruppe von sitzenden Aposteln – wie meistens angenommen –, sondern unsere Reliefs von diesem aufgelösten Altar stammen könnten.

Der von Rainer Rückert festgestellte Zusammenhang zwischen der Gruppe von Reliefs und dem Berliner Reliefkopf ist anhand der Abbildungen 20 und 21 einleuchtend und bedarf keines Kommentars. Überzeugend ist auch der Vergleich der Reliefs mit den Grabplatten der Kinder des hl. Ludwig aus der Abtei Royaumont, jetzt im Chorumgang der Abteikirche in Saint-Denis (Abb. 22), besonders wenn man die Originale betrachtet. Der Kopf des jugendlichen, im Jahre 1248 verstorbenen Jean de France – der Kopf seiner fünf Jahre früher abgeschiedenen Schwester ist eine neuzeitliche Ergänzung – weist trotz des Grössenunterschiedes eine Ähnlichkeit mit den Frauenköpfen unserer Reliefs auf; der

Abb. 20. Kreuzabnahme.
Detail (vgl. Abb. 4).

Abb. 21. Kopfreliquiar. Kupfer vergoldet.
Kunstgewerbemuseum Berlin.

gleiche gerade Nasenrücken, rund geschweifte symmetrische Augenbrauen, gleich gestaltete Mundpartie mit deutlichem Philtrum. Nur die grösseren Emailaugen verleihen dem
Kopf des Prinzen einen andern Ausdruck. Eine weitere Parallele finden wir an der untern
Partie des Gewandes der Prinzessin Blanche, welches in der Anordung der Draperie mit
dem Faltenwurf unserer Marien-Gruppe vergleichbar ist, und welches ebenfalls das
Schlingenmotiv aufweist, das für den Draperiestil der Reliefs bezeichnend ist (Abb. 23).
Auch die gestochene oder gepunzte «Vorzeichnung» der Draperiemotive ist hier vorhanden. Rainer Rückert datiert den Berliner Kopf, die beiden Grabplatten und die Reliefs in
die Zeit um oder kurz vor 1250. Er nennt ferner Zusammenhänge mit weiteren Werken
um die Mitte des 13. Jahrhunderts, so mit dem Schrein des hl. Marcellus in Saint-Marcel,
dem Schrein des hl. Gottfried in Châlard oder dem Schrein in Saint-Viance.[39]

[39] RÜCKERT nennt an dieser Stelle auch den Calminus-Schrein in Mozac. Wie M.-M. GAUTHIER zuletzt
    nachgewiesen hat (Emaux du moyen âge occidental, Fribourg 1972, Kat. Nr. 57), muss der Calminus-
    Schrein in den letzten zwei Jahrzehnten des 12. Jahrhunderts entstanden sein und ist daher in diesem
    Zusammenhang nicht von Belang.

Abb. 22. Grabplatte des Jean de France. Kupfer vergoldet,
Grubenschmelz. Abteikirche Saint-Denis.

Aus dem November 1964 stammt die oben zitierte, unpublizierte Mitteilung von Marie-
Madeleine Gauthier an die Abegg-Stiftung mit der bisher vollständigsten Aufzählung der
bekannten Reliefs.

Im Jahre 1966 gelang es dem *Cleveland Museum of Art,* anlässlich der Ausstellung *The Treasures from Medieval France* fünf Reliefs aus dieser Gruppe für eine gewisse Zeit zusammen-
zubringen. Als Dokument dieser Ausstellung liegt ein umfassender Katalog von William
D. Wixom vor, in welchem die Gruppe erneut ausführlich besprochen ist[40]. Die Reliefs

[40] Treasures from Medieval France, The Cleveland Museum of Art 1967, Kat. Nr. IV 4–8.

Abb. 23. Grabplatte der Blanche de France. Detail.
Kupfer vergoldet. Abteikirche Saint-Denis.

werden hier in das zweite Jahrzehnt des 13. Jahrhunderts datiert, und die Inspirations-
quelle ihres Stils wird neben der Limousiner Buchmalerei in Glasmalereien und Skulpturen
der Kathedrale von Chartres gesucht. Neben den fünf ausgestellten Reliefs, nämlich der
Taufe Christi, dem Abendmahl, der Gefangennahme, der Geisselung und der Salbung
des Leichnams Christi, sind noch die Apostel-Gruppe, ehemals in der Sammlung Martin
Le Roy, das Relief im *Musée Jacquemart-André* in Chaalis und eine drapierte Figur im
Musée des Beaux-Arts in Poitiers als aus der gleichen Werkstatt stammend genannt.
Unsere Gruppe von Reliefs gab am 26. Januar 1967 das Thema für den Vortrag von
Marie-Madeleine Gauthier an der Sitzung der *College Art Association of America* in Cleve-
land ab. Auf diesen Vortrag beruft sie sich im Aufsatz *L'Ange de Saint Pierre du Dorat*[41] in
bezug auf die Verdoppelung der Wand an Stellen, wo beim Hämmern Sprünge entstan-
den sind. Diese finden sich auf der Figur des Engels in Dorat wie auf den Reliefs der Gefangennahme Christi, der Salbung des Leichnams Christi und des Abendmahls. Gleiche
Reparaturen haben wir auch auf den beiden Riggisberger Reliefs gefunden (siehe S. 40, 46).
Für die genannten Reliefs setzt Marie-Madeleine Gauthier die Herkunft vom gleichen
Altar voraus. Alle diese Reliefs sind in das *Corpus de Limoges* aufgenommen worden und
werden in diesem Rahmen von der Initiantin dieses wichtigen Werkes weiter untersucht.

[41] Bulletin de la Société Archéologique et Historique du Limousin, 122ᵉ année, tome XCIV, Limoges 1967,
S. 119 (siehe Anm. 3).

Der Überblick über die eher spärliche Literatur zu diesem Thema hat uns zugleich eine Gruppe von Werken gezeigt, die mit unseren Reliefs mehr oder weniger eng zusammenhängen. Diesen Werken können wir einige weitere Stücke beifügen, unter welchen das Kruzifix des *Musée de Picardie* in Amiens bereits besprochen wurde. Dass zu dieser Gruppe nicht nur Reliefs, Kopfreliquiare und Grabplatten, sondern auch Statuetten thronender Madonnen gehören, bezeugt ein herrliches Exemplar in Leningrad, das 1884 aus der Sammlung Basilewsky für die Eremitage erworben wurde[42]. Die Statuette ist fast vollständig erhalten, mitsamt dem Thron und dem emaillierten Sockel. Die Kronen der Maria und des Jesuskindes, die dekorativen Borten am Halsausschnitt der Gewänder und die Schuhe der Maria sind mit türkisblauen Glasperlen beziehungsweise mit Kristalleinlagen (?) verziert. Obwohl dem Kopf der Madonna das gleiche Schema zugrunde liegt wie den Köpfen auf unseren Reliefs, wirkt ihr Antlitz ernsthafter und ausdrucksvoller als hier, was in erster Linie von der ausgewogeneren Proportionierung herrührt. Dabei müssen wir auch bedenken, dass bei der Gesamthöhe der Statuette von 39,5 cm das Gesicht etwas grösser herauskommt als bei den Reliefs und dass es in der Natur der gegebenen Kunstaufgabe lag, das Antlitz der Einzelfigur der Madonna sorgfältiger durchzuarbeiten (wohl Arbeit eines tüchtigeren Kupferschmieds der Werkstatt), als es bei den Köpfen der mehrfigurigen Reliefszenen der Fall war. Ein Blick auf die Draperie der Madonna zeigt jedoch jene verdoppelten schlingenartigen und mit Ritzlinien verdeutlichten Vertiefungen, die wir von den Reliefs kennen, wo sie namentlich an den Seiten (siehe Abb. 26) übermässig und in fast manierierter Weise angebracht sind, und die wir gewissermassen als kennzeichnend für unsere Gruppe betrachten.

Obwohl weniger anspruchsvoll als die Madonna in der Eremitage, kann an dieser Stelle eine Applikenfigur der thronenden Maria mit Kind genannt werden, die in der *Walters Art Gallerey* in Baltimore aufbewahrt wird (Abb. 24)[43]. Ihr Gesichtstypus lässt sich von jener ableiten, unterscheidet sich aber durch andersartige Bildung der Augen: ohne Glasperlen und mit Lidern, die ein feiner Steg umrandet. Die Stirnbeine verschwimmen fast völlig in der weichen Modellierung des Gesichtes. In der Draperie ist in vereinfachter Form das gleiche Schema verwendet wie bei der Madonna der Eremitage. Nur sind die durch Ritzlinien verdeutlichten Rinnen etwas schwungvoller gezogen und ihre schlingenartigen Endungen relativ kleiner.

---

[42] Inv. Nr. F 191, H. 39,5 cm. – Eine gute Abbildung in: E. A. Lapkowskaya, Angewandte Kunst des Mittelalters in der Staatlichen Eremitage (Moskau 1971), Tafel 32. – A. Darcel, A. Basilewsky, Catalogue raisonné, Collection Basilewsky (Paris 1874), N° 213.

[43] Inv. Nr. 53.16.

Abb. 24. Sitzende Madonna. Kupfer vergoldet.
Baltimore, Walters Art Gallery.

Die Madonna der Eremitage diente sicherlich als Vorbild für eine Statuette der hl. Valeria im Depot des *Metropolitan Museum of Art* in New York (Abb. 25)[44], die, obwohl als Fälschung erkannt, doch als Vergleichsstück für unsere Gruppe von Interesse bleibt. In der technischen Beschaffenheit der Statuette bemerkt man sogar von blossem Auge mehrere Unterschiede zu den übrigen Reliefs: Die charakteristischen Schlingenmotive weisen keine gestochene oder gepunzte Linienzeichnung auf; die Innenseite ist glatt und ohne Spuren des Hämmerns; die Metallwand scheint im Gegensatz zu den Reliefs von gleichmässiger Dicke und dazu massiver zu sein; die Augen der Heiligen sind nicht eingesetzte Glasperlen, sondern sind aus einem Stück mit dem Kopf gegossen, wobei ihre Grösse und Form mit derjenigen der Glasperlen übereinstimmt. Dieser Kopf ist als Abguss eines alten Kopfes mit Glasperlenaugen zu betrachten. Die Statuette ist entweder gegossen oder galvanisch hergestellt, auf keinen Fall ist sie getrieben.

Eine interessante, zeitlich wie geographisch entfernte Nachahmung des Stils unserer Gruppe von Reliefs ist in den vier Apostelfiguren zu erkennen, die eine Glocke, jetzt in der *Walters Art Gallery*, Baltimore, schmücken. Diese Glocke wird für eine österreichische Arbeit gehalten, die wegen ihrer schlanken und eleganten Form ins 14. Jahrhundert datierbar ist. Das Monogramm des Glockengiessers PK verbindet sie mit einer andern Glocke in Stari Trg pri Lozu[45]. Die seltsamen Figuren (Abb. 27–30) weisen jedoch keine Spur des Stils des 14. Jahrhundert auf; schon der erste Blick verrät ihren stark archaisierenden Charakter, und ihr Hochrelief macht sie zu einer Rarität in der mittelalterlichen Glockengiesserkunst. Die genauere Betrachtung legt den Schluss nahe, dass diese Figuren nach Vorlagen gemacht worden sind, die, etwa 150 Jahre älter als die Glocke, in den Umkreis unserer Reliefs gehört haben dürften[46].

---

[44] Inv. Nr. 17.190.334. – Ich danke Frau CARMEN GOMEZ-MORENO, Curator-in-charge, Department of Medieval Art and the Cloisters, für ihr Verständnis und die Erlaubnis, dieses Stück zu publizieren.

[45] U. E. McCRACKEN, Liturgical Objects. The Walters Art Gallery (Baltimore, Maryland 1967), Abb. 1. – Vgl. A. GNIRS, Alte und neue Kirchenglocken (München 1917), S. 35, 117, Abb. 34, 36, 258.

[46] Die Tatsache, dass die Gusstechnik und auch Missverstehen einzelner Motive manches vertuscht und verundeutlicht haben, sollte uns nicht täuschen. Die Reliefhöhe der Apostelfiguren ist nicht viel grösser als diejenige der Kupferreliefs, und beim Vergleich der Apostel mit der Maria von der Kreuzabnahme oder mit der schmalen Marien-Gruppe fällt die ähnliche Wölbung des Reliefs auf: Die flache Vorderfläche biegt ziemlich jäh zu den Seiten um, die fast senkrecht zu der (bei den Kupferreliefs nicht mehr vorhandenen) Hintergrundsfläche stehen. Die Köpfe der Apostel Petrus, Paulus und Johannes, die einander sehr ähnlich sind, und bis zu einem gewissen Grad auch derjenige des Thomas lassen trotz ihrer Grobheit die Grundzüge des Werktypus der Reliefwerkstatt noch erkennen: Die Mundpartie wird dominiert von einem langen Schnurrbart beiderseits des mehr oder weniger deutlich wiedergegebenen Philtrums, der die Oberlippe verdeckt und von den Mundwinkeln schräg nach unten fällt, wo er den Kinnbart überlappt. Die Unterlippe tritt als ein leichter Bogen aus der von dem Schnurrbart sozusagen umrahmten Vertiefung vor. Die Augen sind unter rundbogigen Stirnbeinen eingesetzt, und zwar in Form von vortretenden, verhältnismässig grossen Kügelchen, die den Gesichtern ein glotzendes Aussehen geben. Diese

Abb. 25. Hl. Valeria. 19. Jahrhundert. Kupfer vergoldet.
New York, The Metropolitan Museum of Art.

Ein nicht einfaches Problem stellt die kunstgeschichtliche Einordnung der Reliefs dar. Die Bezeichnung «Limoges» deutet auf die Zugehörigkeit zu einer vorwiegend durch technische und materielle Beschaffenheit charakterisierten Gruppe, für die ein gemeinsamer Entstehungsort anzunehmen ist. Über den Stil der betreffenden Objekte besagt diese Bezeichnung indessen nicht allzuviel. Die Limoges-Arbeiten stellen eine in sich nicht unbedingt einheitliche Gattung dar, und wenn einige der besten Arbeiten als von der Portalskulptur der Kathedrale von Chartres abhängig erkannt wurden, gilt dies nicht im gleichen Masse von den übrigen Werken von Limoges. So stellt sich die Frage nach der Herleitung des Stiles fast bei jeder derartigen Gruppe neu.

Die englische Buchmalerei bietet für unsere Gruppe von Reliefs in erster Linie ikonographische Vergleiche, die wir oben in bezug auf die Marien-Gruppe und auf das Kreuz des Kruzifixes von Amiens bzw. auf das ehemalige Kreuz des Kreuzabnahme-Reliefs besprochen haben. Was den Stil betrifft, so finden wir in der englischen Buchmalerei nicht so sehr direkte Zusammenhänge als einen breiteren Hintergrund, vor dem der Stil der Reliefs zu betrachten ist. Die Entwicklung der englischen Buchmalerei zwischen etwa 1200 und 1250 führt nicht so unmittelbar zu einer linearen Vereinfachung und Vereinheitlichung des Draperiestils wie in den Domänen der französischen Krone, sondern verweilt gerne bei komplizierten, oft dynamischen Draperieformen, die aus dem Nassgewänder- bzw. Muldenstil abgeleitet sind. Unter diesen kommen oft schlingenartige Motive oder ihre Kombinationen vor, nicht selten in recht manierierter Weise. Schlingen, die in rein zeichnerischer Form vorkommen, sind jedoch, für sich genommen, in unserem Zusammenhang weniger wichtig. Erst wenn sie deutlich als Wiedergabe einer Vertiefung in der Draperie gemeint sind, können wir sie mit unseren plastischen Gebilden vergleichen und

---

Art der Augendarstellung hat in der Entstehungszeit der Glocke keine Parallele, und die naheliegende Erklärung ist, dass hier in vergröberter Form die eingesetzten Glasaugen der etwa anderthalb Jahrhunderte älteren Metallplastik nachgeahmt worden sind. Die plumpe, stellenweise ungeschickt gestaltete und dem 14. Jahrhundert nicht entsprechende Draperie zeigt Motive, die wohl von dem Stil unserer Reliefs abgeleitet werden können (siehe Abb. 26–30). So finden wir am Gewand des Johannes zwei Reihen von vertieften «Schlingen», die an sich wie in ihrer Anordnung an ähnliche auf den Seiten einiger unserer Reliefs erinnern. Auch an der Gewandung des Petrus finden wir vertikale Rinnen, die sich unten schlingenförmig ausweiten, ähnlich wie wir es an der Draperie der linken Frau von der Marien-Gruppe sehen können. Andere Details, die für den Zusammenhang der Glockenfiguren mit der Gruppe von Reliefs sprechen, sind: Das Motiv der verhüllten Hand, das in der Werkstatt der Reliefs ziemlich beliebt zu sein scheint – wir finden es in der Kreuzabnahme bei Joseph von Arimathia und in der Gefangennahme bei Christus –, kommt bei der Johannesfigur vor. Die segnende Hand des Petrus an der Glocke, die, an die Brust festgedrückt, unnatürlich in volle Frontalität gedreht ist, entspricht den Händen des Christus auf den Taufe- und Abendmahlreliefs. Allem Anschein nach dürfen wir in der Glocke in Baltimore ein Beleg für eine Apostelserie erblicken, die, von der gleichen Werkstatt wie die Reliefs herkommend, nach dem südöstlichen Zentraleuropa verschlagen wurde, dem Glockengiesser PK als Vorbild gedient hat und heute verschollen ist.

Abb. 26. Mariengruppe von einer Kreuzigung. Seitenansicht (vgl. Abb. 1).
Abb. 27–30. Die Apostel Paulus, Johannes, Petrus und Thomas. Glockenfiguren. 14. Jahrhundert.
Baltimore, Walters Art Gallery.

daraus Schlüsse ziehen. In eben dieser Form können wir sie erst um die Mitte des Jahrhunderts an der Figur des Engels sehen, der die Eselin des Bileam anhält, dargestellt in einer Miniatur des *Duke of Ruthland*-Psalters (Abb. 31)[47].

Einem ähnlichen Draperiestil mit Schlingenmotiven wie auf unseren Reliefs begegnen wir in einigen französischen Glasmalereien. Als das früheste Beispiel ist hier die Madonna der Nordrose der Kathedrale von Chartres zu nennen[48]. Ihre Ähnlichkeit mit der kupfernen Madonnenstatuette in Leningrad[49] geht sogar über eine allgemeine Stilverwandtschaft hin-

[47] MILLAR, S. 107, 108, Pl. 79 b. – In diesem Zusammenhang sei hier an die ganzseitigen Miniaturen im allein dastehenden Glazier-Psalter in der Pierpont Morgan Library hingewiesen, deren Draperiegestaltung manchmal an unsere Reliefs erinnert (z. B. der Mantel Marias und der Ärmel des Engels von der Verkündigung, Fol. Iv). Dieser Psalter, dessen Illustrationen einige ikonographische Seltenheiten aufweisen, wird um 1220 datiert. Vgl. M. SCHAPIRO, An illuminated English psalter of the early thirteenth century, Journal of the Warburg and Courtauld Institutes, vol. XXIII 1960, Nos. 3 – 4, S. 179. – J. PLUMMER, The Glazier Collection of Illuminated Manuscripts, The Pierpont Morgan Library 1968, Nr. 25.
[48] P. POPECSO, Die Kathedrale von Chartres (Augsburg 1969), Abb. 45.
[49] Siehe S. 66, Anm. 42.

Abb. 31. Ein Engel hält die Eselin des Bileam an.
Psalter des Duke of Ruthland. Belvoir Castle.

aus. Sie diente offensichlich dem Metallkünstler als Vorbild, der ihren Typus und einige Draperieschemata (namentlich die Anordnung der Draperie unter den Knien) in der kupfernen Statuette treulich in eine dreidimensionale Form übertrug. Die Nordrose in Chartres ist zwischen 1223 und 1236 belegt. Das Zentralmedaillon mit der Madonna unterscheidet sich im Stil von den übrigen Fenstern der Kathedrale und steht einigen Panneaux der Verglasung der *Sainte-Chapelle* in Paris auffallend nahe. Die Fenster der *Sainte-Chapelle* sind erst zwischen 1243 und 1248 entstanden[50], weshalb wir das Madonnenbild in Chartres eher gegen das Ende des obgenannten Zeitabschnitts datieren müssen. Die Mitte der dreissiger Jahre des 13. Jahrhunderts kann daher als *terminus post quem* für die Leningrader Madonna angenommen werden.

[50] M. AUBERT, L. GRODECKI. J. LAFOND, J. VERRIER, Les vitraux de Notre-Dame et de la Sainte-Chapelle de Paris (Paris 1959), S. 72.

Abb. 32 und 33. Zwei Felder von den Glasmalereien der Sainte-Chapelle in Paris.
Ankunft Jacobs und seiner Söhne in Ägypten
(1. nördliches Fenster) und Flucht nach Ägypten (7. nördliches Fenster).

Unter den 710 Szenen in den Fenstern der Sainte-Chapelle finden wir ebenfalls mehrere
Stilparallelen zu unseren Reliefs. Von den mit den Reliefs vergleichbaren Szenen bilden
wir zwei Figuren aus der Ankunft Jakobs und seiner Söhne in Ägypten und die Flucht
nach Ägypten ab (Abb. 32, 33), um den Charakter der Übereinstimmungen zu zeigen.
Die Draperie auf den Glasgemälden ist zwar einfallsreicher und freier gestaltet, als es bei
den Reliefs der Fall ist, die schlingenartigen Vertiefungen, die die schildförmigen Flächen der Gewandung beleben, sind aber unmissverständlich von derselben Art wie diejenigen, welchen wir auf den Reliefs begegnet sind. Auch die Schwarzlotzeichnung der
Glasmalerien hat in den gestochenen oder gepunzten Linien auf den Reliefs ihre Parallele, da hier wie dort die gleichen Motive und die gleichen Details wiedergegeben oder
hervorgehoben sind. Die Stilverwandtschaft unserer Reliefs mit einigen Panneaux der
Fenster der *Sainte-Chapelle* ist auch deshalb wichtig, weil sie auf die Verbindung der Reliefwerkstatt mit dem Pariser Hof deutet, die übrigens ausserdem durch die beiden Grabplatten der Kinder des hl. Ludwig bestätigt ist.

Was die Datierung unserer Reliefs betrifft, scheint uns die Zeit vor der Mitte des 13. Jahrhunderts, um die vierziger Jahre, am wahrscheinlichsten. Dies ist das Jahrzehnt, in welchem die Fensterverglasung der *Sainte-Chapelle*, die Grabplatten aus der Abtei Royaumont und vielleicht der Ruthland-Psalter entstanden sind. Auf Grund dessen, was wir aus der stilistischen Verwandtschaft unserer Reliefs mit diesen Werken schliessen dürfen, denken wir uns ihre Entstehungszeit nicht weit von ihnen entfernt.

HERKUNFT DER ABBILDUNGEN

Abegg-Stiftung Bern (A. Javor): Abb. 1, 2, 4, 5, 6, 20, 26 – Amiens, Musée de Picardie: Abb. 11 – Baltimore, The Walters Art Gallery: Abb. 16, 24 – Berlin, Staatliche Museen Preussischer Kulturbesitz, Kunstgewerbemuseum: Abb. 21 – Boston, The Museum of Fine Arts: Abb. 14 – Chantilly, Photographie Bernard: Abb. 19 – Minneapolis, The Minneapolis Institute of Arts: Abb. 18 – New York, The Metropolitan Museum of Art: Abb. 12, 25 – Paris, Caisse nationale des monuments historiques: Abb. 22, 23, 32, 33 – Paris, Archiv von Ch. Ratton: Abb. 10 – Paris, Photo Heidi Meister: Abb. 9 – Paris, Service de Documentation photographique de la Réunion des Musées Nationaux: Abb. 15, 17 – Nach L'Art pour Tous, 9. Jahrgang, Nr. 248: Abb. 7 – Nach E. G. Millar, La miniature anglaise: Abb. 3 (Taf. 84 b), 13 (Taf. 69 a), 31 (Taf. 79 b) – Aufnahmen des Verfassers: Abb. 8, 27–30.

BEMERKUNGEN ZU ZWEI SPÄTMITTELALTERLICHEN ZEUGDRUCKEN AUS DEM ALPENRAUM

VON ALFRED A. SCHMID

I

Die Abegg-Stiftung zeigt seit kurzem einen spätmittelalterlichen Zeugdruck, den Werner Abegg 1951 in Rom erwarb[1]. Es handelt sich um die Hälfte eines Stücks von sehr beträchtlichen Ausmassen, das sich Ende des letzten Jahrhunderts in der Sammlung des Grafen Wilczek auf Schloss Seebarn in Niederösterreich befand und damals durch Tausch von Robert Forrer in Strassburg erworben werden konnte. Forrer veröffentlichte es in seinem grundlegenden Werk über den Zeugdruck[2]. Es wurde zu unbekannter Zeit zerschnitten, und die beiden Teile nahmen leider verschiedene Wege. Die andere Hälfte gelangte über den Kunsthandel in die Sammlung Lessing J. Rosenwald und mit dieser 1950 geschenkweise in die National Gallery of Art in Washington D.C.[3] (Abb. 1,2).

Forrer hielt den aus Innichen (heute San Candido) im Südtirol stammenden Zeugdruck auf Grund der Masse, die er mit 244 × 85 cm angibt, für einen Lesepultbehang. Der Abschnitt in Washington misst 121 × 86 cm, derjenige in Riggisberg 117 × 85 cm. Ersterer ist zu unbekannter Zeit, jedenfalls aber noch vor der Erstpublikation durch Forrer und höchstwahrscheinlich auch vor der Erwerbung durch den Vorbesitzer, um etwa 14 cm verkürzt worden; der Schnitt verläuft in einem Abstand von rund 82 cm parallel zum untern Rand. Zur Verwendung gelangte Leinwand aus Z-gesponnenem Leinen, das mit sechs Modeln schwarz bedruckt und nachträglich farbig eingeschildert, das heisst von Hand mit dem Pinsel teilweise koloriert wurde, wobei man sich mit Rot und Gelb bzw. Ocker begnügte.

[1] Inv. Nr. 380. Herrn Direktor Dr. MICHAEL STETTLER und Frl. Dr. BRIGITTA SCHMEDDING (Bern-Riggisberg) danke ich für freundliche Hinweise und für tatkräftige Hilfe bei der Beschaffung von Literatur und Photographien.

[2] R. FORRER, Die Kunst des Zeugdrucks vom Mittelalter bis zur Empirezeit, Strassburg 1898, S. 48–51 und Taf. 20. A. M. HIND, An Indroduction to a History of Woodcut, Boston and New York 1935, vol. I, S. 67. G. SCHAEFFER, Mittelalterlicher Zeugdruck in Europa, CIBA-Rundschau 24 (April 1938), S. 867.

[3] Inv. Nr. B-15, 387. Fifteenth Century Woodcuts and Metalcuts from the National Gallery of Art, Washington D.C. Catalogue prepared by R. S. FIELD. Washington D.C., s.d. Nr. I. Europäische Kunst um 1400, Kunsthistorisches Museum Wien 1962, S. 296–298, Nr. 332.

Abb. 1. Spätmittelalterlicher Zeugdruck. Washington D.C., National Gallery of Art.

Abb. 2. Spätmittelalterlicher Zeugdruck aus Innichen. Abegg-Stiftung Bern.

Dargestellt ist, ursprünglich gegenständig angeordnet, auf dem Abschnitt in Washington das Weinwunder zu Kana, auf demjenigen in Riggisberg die Auferweckung des Töchterchens des Jairus[4]; ergänzend treten dazu am untern Rand vier Propheten in halber Figur. Zwischen den beiden Prophetenreihen erstrecken sich der Länge nach zwei Rahmenleisten mit Flechtband und sechsblättrigen Rosetten, und die übrige verfügbare Fläche ist mit grosszügig geführten Weinranken besetzt, die an einem diagonal angeordneten Spalier aus gekreuzten Stäben Halt finden.

Von den sechs Modeln sind die beiden szenischen Darstellungen (1 und 2) je einmal verwendet worden. Die Propheten finden sich paarweise in einem architektonischen Rahmen – zwei gedrückte Korbbogen über gotischen Säulchen mit Fialenbekrönungen und im Hintergrund die Andeutung eines dreiseitig gebrochenen Gehäuses – zusammengefasst (3); das Model erscheint viermal. Der Druckstock der Flechtbandleisten (4) zeigt zwischen zwei halben fünf ganze Windungen und Rosetten. Es wurde achtmal ganz und – auf dem Washingtoner Teil – zweimal fragmentarisch verwendet. Für die Wiedergabe des Rebspaliers mit Ranken, Blättern und üppigen Trauben dienten zwei verschiedene Model, von denen keines ganz ausgedruckt wurde. Im einen ringelt sich zusätzlich ein Schlänglein durch die Ranken (5), im andern sind gar mit aufgerissenen Rachen Schlange und Eidechse gegeneinandergesetzt, offenbar im Streit um einen unmittelbar daneben kriechenden Wurm (6); das erste Model tritt viermal, das zweite dreimal auf, wobei nach Massgabe der vorhandenen Fläche die nicht benötigten Teile jeweils abgedeckt wurden (Abb. 3).

Die beiden Wunderszenen sind im Spätmittelalter nicht sehr häufig wiedergegeben worden, die Erweckung des Töchterleins des Jairus sogar ausgesprochen selten. Christus steht hier links aussen, die Rechte im lateinischen Segensgestus erhoben; die Linke fasst in Gürtelhöhe ein geschlossenes Buch. Rechts von ihm drei in Mäntel gehüllte Frauengestalten, zwei mit dem Schleier über dem Kopf, die frontal neben dem Herrn stehende mit reicher, aus der Stirn gleichmässig nach hinten gekämmter und über die Schultern wallender Lockenpracht. Das vom Tode erweckte Mädchen scheint in einem in Aufsicht wiedergegebenen Sarkophag zu knien, dessen beide sichtbare Seiten eine schwer zu deutende Dekoration – möglicherweise Masswerk – aufweisen. Es hat den Kopf gesenkt und leicht nach vorn gewendet, die Hände sind bittend erhoben. Auffallenderweise sind sämtliche Gestalten nimbiert, der Nimbus Christi einzig mit einem Kruckenkreuz ausgezeichnet. Es muss vermerkt werden, dass sich unsere Darstellung in keiner Weise an den evangelischen Bericht hält, wie er von den Synoptikern überliefert ist: Christus wirkt das Wunder nicht allein oder im Beisein der Eltern und der drei Jünger Petrus, Johannes und Jakobus, son-

---

[4] Diese zweite Szene wird seit Forrer in der gesamten Literatur irrtümlich als Auferweckung des Lazarus bezeichnet.

Abb. 3. Die fünf Model des Zeugdrucks der Abegg-Stiftung.

dern in Begleitung dreier Frauen; er fasst das Mädchen nicht bei der Hand, und an die Stelle des Sterbelagers tritt ein richtiger Sarkophag[5] (Abb. 4).

Das Weinwunder auf der Hochzeit zu Kana, allein im Johannesevangelium enthalten, zeigt Christus hinter einem bildparallel angeordneten Tisch, freilich als zentrale Gestalt in der Mitte statt wie in herkömmlicher Weise am Tafelende. Er hält in der Rechten eine runde Scheibe, wohl das Brot des eucharistischen Mahles; die Linke ist auf den Tisch gelegt. An seiner rechten Seite hält sich der unbärtige Johannes, offenbar wie in den Schriftkommentaren des Früh- und Hochmittelalters öfters belegt, auch als Bräutigam zu verstehen. Die Linke ruht im Schoss, die Rechte fasst einen kleinen kreisrunden Gegenstand, den ich als Hostie interpretiere. Zur Linken sitzt Maria, deren linke Hand ebenfalls auf dem Tisch liegt, während sie die rechte in Brusthöhe hält. Alle drei Gestalten sind nimbiert, und wieder zeigt der Nimbus Christi das charakteristische Kruckenkreuz. Der Tisch ist mit einem quergestreiften Tuch belegt; ausser dem Tischgerät finden sich darauf, vor Maria und Johannes zu Dreiergruppen geordnet, Hostien. Vor dem Tisch sitzt in der rechten Ecke eine Frau, auch sie mit einem grossen runden Brot in der Linken und einem Messer in der Rechten, Teilnehmerin am Gastmahl also. Es dürfte sich um die Braut handeln. Links von ihr zwei kindhaft kleine Männer mit Trink- und Schenkgerät, der Jugendliche im wadenlangen Rock mit weiten Ärmeln wohl der Architriclinus, während der zweite, links unten, mit geschürztem Oberkleid und dem Krug in der Rechten als Schenkbursche zu verstehen ist[6].

Die beiden Kompositionen sind ähnlich gebaut; zwei parallel zur vordern Bildebene verlaufende Raumschichten von unbestimmter Tiefe werden durch raumschaffende Requisiten in deutlicher Aufsicht – hier der Tisch, dort der Sarkophag – voneinander geschieden, die Gestalten sind um eine zentrale Achse geordnet, die Randfiguren bildeinwärts gerichtet. Repoussoirs fehlen; selbst das Mittel der Überschneidung wird zurückhaltend in Anspruch genommen, bildwirksam eigentlich nur beim Töchterlein des Jairus. Auffallend die Kleinheit der Vordergrundsfiguren im Weinwunder, der ein Missverhältnis zwischen den Gestalten der zweiten Bildebene und dem Töchterlein auch in der Auferweckung entspricht. Erschliessung des Tiefenraums ist offenbar ein ganz nebensächliches Anliegen, und weit wichtiger erscheint eine klare, in wenigen ausdrucksvollen Gesten verdeutlichte Wiedergabe des Handlungsablaufs.

[5] Mt. 9, 23–26; Mk. 5.35–43; Lk. 8, 49–56. K. KÜNSTLE, Ikonographie der christlichen Kunst Bd. I (Freiburg i. Br. 1928), S. 387 f. G. SCHILLER, Ikonographie der christlichen Kunst Bd. I (Gütersloh 1966), S. 187 f., Abb. 427, 464, 552–555 (mit Beispielen von der Spätantike bis ins Hochmittelalter). Lexikon der christlichen Ikonographie Bd. 4 (Freiburg i. Br. 1972), Sp. 542–549, s.v. Wunder Christi.

[6] Joh. 2, 1–11. G. SCHILLER, loc. cit. (Anm. 5), Bd. I, S. 171–173, Abb. 65, 350, 423, 464, 466–475. Lexikon der christlichen Ikonographie Bd. 2 (Freiburg i. Br. 1970), Sp. 299–305 sub voce. K. KÜNSTLE, l.c., S. 382–384.

Abb. 4. Christus auferweckt das Töchterlein des Jairus.
Detail aus dem Zeugdruck der Abegg-Stiftung.

Die beiden Propheten, bärtige Männer reifen Alters, sind einander zugewendet. Sie
haben faltenreiche Gewänder mit weiten Ärmeln; der Kopf des einen ist mit einem von
einem Ring über der Stirne zusammengefassten, seitlich fallenden Tuch bedeckt, der andere trägt eine knapp sitzende kegelförmige Mütze. Mit dem Zeigefinger der Linken deuten sie auf Spruchband und Buch, die sie als Attribute mit sich führen. Unzweifelhaft
handelt es sich also um Vertreter des Alten Bundes, die in typologischer Sicht auf die Ge-

Abb. 5. Die Propheten. Detail aus dem Zeugdruck der Abegg-Stiftung.

schehnisse des Neuen hinweisen. Wir kennen sie in dieser Anordnung aus der italienischen Malerei des 13. und 14.Jahrhunderts[7] (Abb.5).

Das Motiv der Weinranke mit Blattwerk und Trauben begegnet uns in der christlichen Kunst seit der Spätantike, es ist im Grunde zeitlos. In allen Jahrhunderten hat man darin ein Eucharistiesymbol gesehen: Christus bedient sich bei der Einsetzung des Abendmahls nach dem Brot des Weins, den er den Jüngern als sein Blut zu trinken gibt, und er vergleicht sich selber Joh. 15, 1–8 mit dem Weinstock, seine Jünger mit den Rebzweigen. Die mittelalterliche Kunst kennt den Herrn als Keltertreter, oder er wird, in allegorischer Ausdeutung des Opfers am Kreuz, selber gekeltert. Verständlicherweise finden wir deshalb Weinlaub und Trauben besonders häufig im Zusammenhang mit dem Altar, von karolingischen Schrankenplatten und Altarfrontalien[8] bis hin zu den gedrehten, von Reben umrankten Säulen des Riesenbaldachins Berninis von 1633 in St.Peter, die in unzähligen barocken Retabeln wiederholt und verbreitet wurden. Ungewöhnlich ist auf unserem Zeugdruck das Rebspalier, das leichte Gefüge überkreuzter Stäbe. Wir begegnen

[7] Z.B. auf Cimabues grosser Madonna aus S. Trinità in den Uffizien. R. van Marle, The Development of the Italian Schools of Painting I (The Hague 1923), S.458f., Fig.262.
[8] Als ein Beispiel für viele sei das karolingische Altarfrontale in der Klosterkirche St.Johann in Müstair, wohl Ende 8.Jh., genannt E. Poeschel, Die Kunstdenkmäler des Kantons Graubünden Bd.V (Basel 1943), S.307, Abb.316.

Abb. 6. Flechtband und Rebspalier.
Detail aus dem Zeugdruck der Abegg-Stiftung.

ihm indessen nicht etwa nur in südlichen Gegenden, sondern auch in Darstellungen nordwärts der Alpen[9]. Die mit Früchten oder Blumen behangene Gartenlaube stand zu allen Zeiten stellvertretend für das verlorene Paradies und den *locus refrigerii* der ewigen Seligkeit. Der chthonische, ja dämonische Charakter der drei Reptilien, die zwischen den Zweigen erscheinen, ist in diesem Lichte kaum zu bezweifeln (Abb. 6).

[9] Ein ähnliches Spalier ist schattenhaft und in spärlichen Resten an der Westwand des Winterrefektoriums des Klosters St. Georgen in Stein a. Rh. zum Vorschein gekommen, wohl aus der Zeit des Abtes Joh. Singer (1444–1460), dessen Wappen sich an der flachgewölbten Bälkchendecke findet.

Die Frage nach der Sinngebung des Ganzen muss von den beiden szenischen Darstellungen ausgehen. Der Grundgedanke ist, wie erwähnt, bereits im Rebspalier vorgegeben, das den grössten Teil der Fläche überzieht. Die Auferweckung der Jairustochter, in der ottonischen Kunst in die Zyklen der Grosstaten und Wunder eingefügt, mit denen das Epos des öffentlichen Wirkens Christi erzählt und seine göttliche Allmacht beglaubigt wird, steht hier für die Berufung des Menschen zum ewigen Leben schlechthin, für die Erweckung der Seele durch Christus. Das Weinwunder von Kana wird seit der Spätantike als Hinweis auf die Einsetzung der Eucharistie verstanden; daneben ist es die erste Selbstoffenbarung des Gottessohnes und Bild der mystischen Hochzeit Christi mit der Kirche. Die Propheten stammen unzweifelhaft aus einem der typologischen Schriftwerke des spätern Mittelalters, wahrscheinlich aus der Biblia pauperum [10] oder der Concordantia caritatis [11]; hier werden den Gegenüberstellungen von Szenen des Alten und Neuen Testaments beziehungweise Vergleichen aus den Naturwissenschaften ergänzend jeweils vier, vereinzelt sogar acht Prophetien beigegeben, wobei die Propheten in der Regel im Brustbild oder in halber Figur dargestellt sind (Abb. 7).

Die ausgesprochen eucharistische Dominante der Ikonologie ruft der Überlegung, ob die von Forrer geäusserte und seither von sämtlichen Autoren übernommene Ansicht, der Zeugdruck aus Innichen sei ein Lesepultbehang, hinlänglich begründet ist. Forrer rief dafür das Zeugnis Cennino Cenninis [12] an und brachte als ikonographischen Beleg die Miniatur aus einer vatikanischen Handschrift [13] (Abb. 8). Eine Breite von 85 cm und ursprüngliche Gesamtlänge von schätzungsweise 258 cm lässt sich mit dieser Funktion vereinbaren. Ich möchte jedoch den Gebrauch als Altardecke – infolge der Anspruchslosigkeit von Material und Technik des Dekors eher für ausserlitugischen Gebrauch, wenn nicht Messe gelesen wurde – nicht von vornherein ausschliessen. Man kann sich die Decke über eine Mensa von rund einem Meter Länge und 85 cm Tiefe gebreitet denken, Masse, die bei Nebenaltären mittelalterlicher Kirchen knapp möglich sind; die beiden szenischen Darstellungen wären so, auf den beiden Schmalseiten herunterhängend, seitlich sichtbar gewesen,

---

[10] Zur Biblia pauperum vgl. H. CORNELL, Biblia pauperum (Stockholm 1925); G. SCHMIDT, Die Armenbibeln des 14. Jh. (Wien 1959), mit älterem Schrifttum.

[11] Zur Concordantia caritatis vgl. Reallexikon zur deutschen Kunstgeschichte Bd. III (Stuttgart 1954), Sp. 833–853 sub voce.

[12] CENNINO CENNINI, Il Libro dell'Arte, cap. 173: Perche all'arte del pennello ancora s'appartiene di certi lavori dipinti in panno lino che son buoni da guarnelli di putti o ver fanciulli e per certi leggii di Chiese. Deutsche Übersetzung von A. ILG, Quellenschriften für Kunstgeschichte Bd. 1 (Wien 1871), S. 121 f.

[13] Mittelitalienisches Pontificale, Ende 15. Jh. Bibliotheca Apostolica, Cod. Vat. Ottobon. lat. 501, fol. 11 r. ST. BEISSEL S. J., Vaticanische Miniaturen (Freiburg i. Br. 1893), S. 46 und Taf. XXV. Vgl. dazu auch J. BRAUN, S. 3., Handbuch der Paramentik (Freiburg i. Br. 1912), S. 252 f. und Abb. 139, die eine Miniatur (Diakonatsweihe) aus derselben Hs. zeigt.

Abb. 7. Concordantia Caritatis von 1471, süddeutsch oder österreichisch (Paris Bibl. Nat. Nouv. Acq. lat. 2129, fol. 57): Typologie zu Christus am Ölberg. Man beachte die vier Propheten oben rechts und links.

während bei einem Lesepultbehang jeweils einer der zwei Holzschnitte den Blicken entzogen bleiben musste. Bei der Normalhöhe spätmittelalterlicher Blockaltäre von 100 bis 110 cm wäre auch der Abstand der beiden fallenden Teile vom Fussboden mit 20 bis 30 cm einigermassen richtig. Als weiteres Indiz in dieser Richtung könnte schliesslich auch der Schnitt auf dem Washingtoner Teil angeführt werden, der in ungefähr 82 cm Abstand vom untern Rand verläuft – Folge einer Kantenermüdung? Dies alles bleibt natürlich reine Vermutung, doch scheint mir anderseits, mit Ausnahme vielleicht der etwas kleinen Dimensionen des dafür postulierten Altars, auch kein Argument dagegenzusprechen.

Bleibt als letzte Aufgabe die stilistische Einordnung und Datierung, mit der sich als erster Richard S. Field im Katalog einer Ausstellung von Druckgraphik des 15. Jahrhunderts in der National Gallery of Art in Washington gründlich und sachkundig befasst hat[14]. Auffallend ist in den beiden szenischen Darstellungen zunächst die pfahlhafte Schlankheit aller Gestalten. Eingehüllt in ihre Kleider und Mäntel, die über schmale Schultern gebreitet sind, wirken sie in erster Linie als Gewandfiguren. Grosse Köpfe stehen – namentlich bei Christus, aber auch bei den Propheten – über biegsamen Körpern gleich Ähren über schwankenden Halmen. Schmiegsame Gesten betonen das Spiel der ausdrucksvollen Hände. Die Organisation der Gewandmassen durch weiche Röhren-, Schüssel- und Haarnadelfalten, vereinzelt in Ösen auslaufend, dient weit mehr der Verdeutlichung des Linienflusses, als dass sie körperumschreibend wirken würde. Die Gesichter haben zumeist einen kindlich-lyrischen Ausdruck, mit Ausnahme Christi und der Propheten, deren ernsten, charaktervollen Zügen eine dem sakralen Bildgegenstand angemessene Würde eignet.

Fassen wir einige Detailformen näher ins Auge, so darf auf beiden Darstellungen das langgestreckte, spitz zulaufende Antlitz Christi mit zweiteiligem, aber spitzem Bart als charakteristisch angesehen werden; es wird von strähnigem, über der hohen Stirn gescheiteltem Haar eingefasst. Ähnlich strähniges, erst auf dem Rücken gelocktes Haar finden wir bei der jungen Frau zur Linken Christi auf der Erweckung des Töchterleins des Jairus. Alle übrigen Köpfe sind eher breit, mit kleinem Mund und spitzem, aber deutlich markiertem Kinn. Charakteristisch ist auch das Verhältnis von Brauen, Augen und Nase: der gerade, durch zwei annähernd parallele Linien wiedergegebene, auffallend breite Nasenrücken verbreitert sich nach oben und geht in flachem Bogen oder im Winkel in die Braue über. Das Auge zeigt zwischen Ober- und Unterlid eine – vorzugsweise kreisrunde – schwarze Pupille, deren wechselnde Lage zur Andeutung des Mienenspiels benützt wird. Die beiden Prophetenköpfe besitzen weitgehend dieselben Merkmale, indessen mit leichter Differenzierung: das Haar ist kürzer und energischer gelockt, der Bart breiter und stärker ausfliessend. Der Brauenbogen

[14] Vgl. Anm. 3.

Abb. 8. Mittelitalienisches Pontificale, Ende 15. Jahrhundert.
(Vatikan, Bibliotheca Apostolica, Ccd. Vat. Ottobon. lat. 501, fol. 11r; Aufnahme nach Beissel):
Weihe der Lektoren. Man beachte das Lesepult.

namentlich des äussern Auges ist S-förmig gekurvt und schliesst mit einem spitzen Winkel an die Nasenwurzel an. Der Nasenrücken zeigt eine charakteristische Einbuchtung, über welcher er sich etwas verbreitert. Beim Faltenstil sind, neben den Schüsseln und Tüten, vor allem die Haarnadelfalten hervorzuheben, besonders deutlich bei den zwei Darstellungen Christi und bei Johannes auf der Hochzeit von Kana.

Von den rund drei Dutzend frühesten Einblattholzschnitten, unter denen zuvörderst wir nach Vergleichbarem Ausschau halten, zeigen nur wenige eine klar fassbare, über allgemeine Züge des Zeitstils hinausführende Verwandtschaft. Das eindrucksvolle Blatt mit dem

Verhör Christi durch Herodes (S. 265) [15], in nur zwei Exemplaren bekannt, die beide dem Einband einer Nürnberger Inkunabel von 1474 entnommen wurden und sich im Britischen Museum befinden, zeigt einen überaus ähnlichen Kopftyp Christi, eine sehr verwandte Wiedergabe der Hände [16] und bei Herodes überdies die typische Einbuchtung des Nasenrückens, seine Verbreiterung an der Wurzel, die doppelt geschweifte Führung der Braue, was alles wir bei den Propheten-Halbfiguren finden, namentlich beim Propheten links (Abb. 9). Hier wäre auch auf den dreiteiligen Bart hinzuweisen, beim Propheten rechts auf die Buckellok-ken. Im übrigen achte man ganz allgemein auf die Wiedergabe der Augen mit Ober- und häufig auch mit Unterlid; der charakteristische Doppelstrich vom Augenwinkel zur Nasenwurzel findet sich in reduzierter Form bei den Propheten und beim Christus unseres Zeugdrucks. Der Faltenstil der Gewänder ist ebenfalls vergleichbar, obschon nach Ausweis des Kostüms der Herodes-Holzschnitt etwas früher angesetzt werden muss. Ähnlichkeiten lassen sich auch auf dem Holzschnitt mit Verkündigung und Geburt Christi (S. 51 und 65) in München [17] feststellen (Abb. 10); verblüffend vor allem die verwandte Wiedergabe der Geländekulisse vor Joseph bei der Geburt und vor dem Sarkophag mit der Totenerweckung, vergleichbar in Kopfform, Zeichnung und Haartracht der Kopf Gabriels in der Verkündigung mit dem Johannes der Hochzeit von Kana. Bei der Kreuztragung der Albertina (S. 336m) [18] wäre auf den Kopftyp Christi, auf die Haltung des kleinen Simon, der das Kreuz tragen hilft, im Vergleich zum Mundschenk sowie auf die wadenlangen Röcke der Soldaten und allgemein auf den Faltenstil zu verweisen, wobei die derbere Ausführung und die geringere künstlerische Qualität des Münchner Holzschnitts in Rechnung gestellt werden müssen (Abb. 11). In einen etwas grössern Abstand scheinen mir die Ruhe auf der Flucht (S. 637) [19] und der heilige Hieronymus mit dem Löwen (S. 1536) [20] zu gehören, beide in der Albertina, beide dem Vorder- und Rückdeckel der gleichen Handschrift entnommen und mit Sicherheit Werke derselben Werkstatt. Verwandt ist auch hier das Verhältnis von Auge, Brauen-

[15] W. L. SCHREIBER, Handbuch des Holz- und Metallschnitts des 15. Jh., 8 Bände (Leipzig 1926–1930), wie üblich zitiert S. mit der Ordnungsnummer des betreffenden Holzschnitts. M. GEISBERG, Geschichte der deutschen Graphik vor Dürer (Berlin 1929), S. 24, Taf. 1. A. M. HIND, loc. cit. (Anm. 2), S. 114, Fig. 48.
[16] Bei Herodes freilich mit Andeutung der Fingernägel, die auf unseren Holzschnitten fehlen.
[17] P. HEITZ, Einblattdrucke des 15. Jh. Bd. 30: München, Graph. Sammlung (Strassburg 1912), Taf. 4. A. M. HIND, loc. cit. (Anm. 2), S. 114, Fig. 49. Europäische Kunst um 1400, Ausstellungskatalog. Kunsthistorisches Museum Wien 1962, Nr. 310.
[18] F. M. HABERDITZL, Die Holzschnitte in der Wiener Hofbibliothek (Wien 1920), S. 47, Taf. XXIII. A. M. HIND, loc. cit., S. 117. M. GEISBERG, loc. cit. (Anm. 15), S. 28, Taf. 5. Europäische Kunst um 1400 (Wien 1962), loc. cit., Nr. 307.
[19] F. M. HABERDITZL, loc. cit. (Anm. 18), S. 41, Taf. XVII (Anm. 17). A. M. HIND, loc. cit., S. 97 f., Fig. 39. Europäische Kunst um 1400 (Wien 1962), loc. cit., Nr. 313, Taf. 152.
[20] F. M. HABERDITZL, loc. cit., S. 135, Taf. LXXXIV. A. M. HIND, loc. cit., S. 97. Kunst um 1400 (Wien 1962), loc. cit., Nr. 314, Taf. 153.

Abb. 9. Christus vor Herodes. Holzschnitt (S. 265) London, British Museum.

Abb. 10. Verkündigung an Maria und Geburt Christi. Holzschnitt (S. 51 und 65),
München, Graphische Sammlung.

Abb. 11. Kreuztragung. Holzschnitt (S. 336m). Wien, Albertina.

bogen und Nase, die Wiedergabe der Hände, der Faltenstil bei Joseph und Hieronymus, doch sind die Gewänder üppiger und differenzierter, sie fliessen auch stärker am Boden aus. Das hat die prachtvolle Pietà aus dem Stift Lambach (S. 972a)[21] mit ihnen gemein, die im übrigen in der Form der leicht eingebuchteten, gegen die Wurzel hin sich verbreiternden Nase und im Ansatz der Brauen eindeutig Beziehungen zum Herodes-Holzschnitt und auch mit den Propheten unseres Zeugdrucks zeigt. Ähnliches darf für den heiligen Wolfgang in Brünn (S. 1733)[22] gelten, der zwar in Kopftyp, Haar und Bart mit dem Christus vor allem der Hochzeit zu Kana verwandt ist, in der reichen Fältelung des Gewandes und in dessen

[21] P. HEITZ, Einblattdrucke des 15. Jh. Bd. 35: G. GUGENBAUER, Oberösterreich und Salzburg, Klosterbibliotheken (Strassburg 1913), Taf. 1. A. M. HIND, loc. cit., S. 121. Kunst um 1400 (Wien 1962), loc. cit., Nr. 326, Taf. 157.

[22] WILHELM MOLSDORF, Gruppierungsversuche im Bereich des ältesten Holzschnittes. Studien zur deutschen Kunstgeschichte, 139. Heft (Strassburg 1911), S. 18f., Abb. 10. ZDENEK TOBOLKA, Die Einblattdrucke des XV. Jh. auf dem Gebiet der Tschechoslowakei (Prag 1928–1930), Nr. 54.

gekonnter Drapierung indessen über die schlichte und eher lapidare Formensprache des
Zeugdrucks hinausführt.

Nun sind die frühesten Einblattholzschnitte mit keinen festen Daten zu verbinden, ausgenommen der aus der Kartause Buxheim stammende Christophorus (S. 1349), an dessen un-
terem Rand, auf zwei Zeilen verteilt, zwei lateinische Hexameter und die Jahrzahl 1423 ent-
langlaufen[23]. Wir können also einzig über die Stilanalyse zuverlässige Ansatzpunkte für die
chronologische Einordnung unseres Zeugdrucks erlangen. Die zum Vergleich herangezoge-
nen sieben Schnitte werden mit Ausnahme des heiligen Wolfgang in Brünn (S. 1733), der
zwischen 1420 und 1430 bzw. um 1430 datiert wird[24], durchwegs ins erste Viertel angesetzt:
Herodes (S. 265), wohl um 1400, steht zeitlich am Anfang, gefolgt von der Kreuztragung
(S. 336m) der Albertina, die ihrerseits auf Grund von Stil und Kostüm um 1400 bzw. 1400
bis 1410 datiert wird[25]. Beim heiligen Hieronymus (S. 1536) und der Ruhe auf der Flucht
(S. 637) wird eine Entstehung nicht nach 1410 anzunehmen sein, da beide Holzschnitte aus
dem Deckel einer Handschrift stammen, deren Papier das gleiche Wasserzeichen wie die beiden Drucke zeigt und deren Hauptstück mit dem Datum 1410 versehen ist[26]. Für Verkündigung (S. 51) und Geburt (S. 65) in München[27] dürfte 1410–1420 am ehesten in Frage kommen, wie auch für die Pietà aus Stift Lambach (S. 972 a); sie war ehemals als Kanonblatt einem salzburgischen Missale beigebunden, das zwischen 1430 und 1434 geschrieben wurde[28].
Damit sind, soweit dies bei Graphik überhaupt statthaft ist, doch bereits auch einige Hinweise auf die Provenienz gegeben. Die Kreuztragung (S. 336m) stammt vom Deckel eines
Registraturbuches der Kanzlei Kaiser Sigismunds (1368–1437)[29], das bereits erwähnte
Hauptstück der Handschrift, der die Ruhe auf der Flucht (S. 637) und der heilige Hieronymus (S. 1536) entnommen wurden, enthält eine deutsche Übersetzung von Briefen der Kir-
chenväter über Hieronymus, die Bischof Johann VIII. von Olmütz (1351–1364) der Mark-
gräfin Elisabeth von Mähren dedizierte. Stift Lambach, die Bibliotheksheimat der Pietà,
liegt in Oberösterreich, das Missale ist wie erwähnt salzburgisch. Der heilige Wolfgang end-

[23] Max Geisberg, loc. cit. (Anm. 15), S. 31, Taf. 8. A. M. Hind, loc. cit. (Anm. 2), S. 104–106, Fig. 44.

[24] Richard S. Field, loc. cit. (Anm. 3), datiert 1420–1430, der Katalog der Europarat-Ausstellung «Europäische Kunst um 1400» (cf. Anm. 17), S. 295 um 1430.

[25] Vgl. Anm. 18. Haberditzl datiert um 1400, der Katalog der Europarat-Ausstellung «Europäische Kunst
um 1400» entscheidet sich für 1400–1410.

[26] Wien, Hofbibliothek, Hs. 2800.

[27] Der Katalog der Europarat-Ausstellung «Europäische Kunst um 1400» in Wien 1962 (vgl. Anm. 17),
datiert 1410–1420, Hind um 1400 («almost equally early» as... the Christ before Herode).

[28] Lambach, Stiftsbibliothek, Ccl. 333. G. Gugenbauer, loc. cit. (Anm. 21), Taf. 1 u. S. 21, datiert
1400–1430 und vergleicht die Lambacher Pietà bereits mit unserem Zeugdruck, den er als italienisierend
bezeichnet; zugleich verweist er auf die riesigen Holzschnitte in St. Jakob in Brünn, deren Holzstöcke er
als für Zeugdrucke geschaffen ansieht. Vgl. Anm. 22.

[29] Hs. im Haus-, Hof- und Staatsarchiv Wien.

Abb. 12. Karls IV. Fahrt zum Reichstag (Detail: die Kurfürsten).
Miniatur aus der Goldenen Bulle von 1400 (Wien, Nationalbibl. Cod. 338, fol. 39r).

lich befindet sich in der Jakobskirche in Brünn, kommt jedoch aus einem Olmützer Missale[30]. Die traditionelle Einordnung unseres Zeugdrucks – südostdeutsch bzw. österreichisch um 1400 – hat demnach einiges für sich, sie wird ausserdem durch seine Herkunft aus Innichen gestützt.

Eine Art Neunerprobe zur Überprüfung der Richtigkeit unserer Beobachtungen könnte in erster Linie durch den Vergleich mit einer gutdatierten und lokalisierbaren Gruppe illuminierter Handschriften des gleichen Zeitabschnitts erstellt werden. Hierfür bieten sich die Prachthandschriften an, die König Wenzel zwischen 1387 und 1402 bei einer hervorragend befähigten Gruppe von Buchmalern in Auftrag gab; einzelne Kräfte der Werkstatt sind bis ins zweite Jahrzehnt des 15. Jahrhunderts hinein tätig[31]. Ausgangspunkt für unsern Vergleich mag das prunkvolle Exemplar der Goldenen Bulle sein, das Wenzel 1400 in Auftrag gab (Abb. 12). Man halte etwa die Köpfe der drei zu Karl IV. und Wenzel zurückblickenden Reiter in der rechten Hälfte des Bildes, das die Fahrt des Kaisers zum Reichstag zeigt[32], mit dem Herodes in London (S. 265) zusammen. Die Gesichter des Herodes und des ersten Reiters entsprechen sich bis in Einzelheiten: hohe, breite Stirn, von Locken umwallt, Nase mit breitem Rücken und der charakteristischen Einbuchtung, Kinn spitz zulaufend, kleiner Mund, dreiteiliger kurzer Bart; auf die Verwandtschaft des Kopfes Christi auf dem Londoner Einblattdruck mit den beiden Christusdarstellungen unseres Zeugdrucks haben wir bereits hingewiesen. Der dreiteilige Bart und manch andere Einzelheit sowie der sorgenvolle Ausdruck finden sich auch beim linken Propheten. In der Bibel Konrads von Vechta, 1402–1403 entstanden, begegnen wir in der Darstellung von Ruth und Boas bei letzterem dem Gesichtstyp Christi: hohe Stirn, die von in der Mitte gescheiteltem, in langen Strähnen über die Schultern nach hinten fallendem Haar gerahmt wird, lange, gerade Nase, langer spitz zulaufender Bart[33]. Die Beispiele liessen sich unschwer vermehren. Sie bestätigen die bisherige Datierung und Lokalisierung des Zeugdrucks, dessen figürlichen Darstellungen infolge ihrer Grösse und ihrer hohen Qualität in der Geschichte des frühen Holzschnitts eine hervorragende Stellung zukommt (Abb. 13–15).

Wir dürfen mit gutem Grund annehmen, dass mindestens die beiden szenischen Darstellungen nicht primär für den Zeugdruck geschaffen wurden[34]; leider haben sich indessen keine Abzüge auf Papier erhalten. Umgekehrt mag es von Holzschnitten wie der ungewöhnlich grossen Kreuztragung der Albertina (S. 336 m) einst wohl auch Abdrucke auf Stoff gegeben

---

[30] Das Missale wurde 1435 der St.-Jakobs-Kirche vermacht. Wilhelm Molsdorf, loc. cit. (Anm. 22), S. 23.

[31] Neueste monographische Darstellung durch J. Krasa, Die Handschriften König Wenzels IV., Wien 1971; Chronologische Hss.-Übersicht S. 289.

[32] J. Krasa, loc. cit., Farbtafel XXXVI (nach S. 208).

[33] J. Krasa, loc. cit., S. 241 (Abb. 205).

[34] Gleicher Ansicht ist auch A. M. Hind, loc. cit. (Anm. 2), S. 67–69.

Abb. 13. Kopf Christi aus dem Zeugdruck
der Abegg-Stiftung.

Abb. 14. Kopf Christi aus dem Herodes-
Holzschnitt im Brit. Mus.

Abb. 15. Kopf des Boas aus der Bibel Konrads
von Vechta (Antwerpen, Mus.
Plantin-Moretus, M. 15.1, S. 307: Detail).

haben. Der Leinen strapazierte die Model jedoch ungebührlich stark, Schäden an den Holz-stöcken müssen deshalb schon nach relativ kurzer Zeit aufgetreten sein. Wir bemerken in der Tat vielerorts ausgebrochene Teile, besonders deutlich im Haar links vom Antlitz der fron-tal stehenden jungen Frau neben Christus auf der Erweckung der Jairustochter, ganz abge-sehen von den zahlreichen Fehlstellen im Rebspalier. Am besten hielten sich die Flechtband-model, bei denen relativ wenig Holz ausgehoben werden musste und isolierte dünne Stege vermieden wurden. Die starke Beanspruchung beim Druck mag dafür mitschuldig sein, dass uns gerade von den frühesten Holzschnitten, die ohnehin nur einen verschwindend kleinen Restbestand des einst Vorhandenen darstellen, selten mehr als ein einziger Abdruck erhalten blieb.

II

Im Sommer 1933 führte eine Gruppe von Studenten der Kunstgeschichte an der Universität Freiburg in Jaun ein Arbeitslager durch, um die alte, seit 1908 nicht mehr benützte Pfarrkir-che vor weiterem Zerfall zu schützen. Zu den ersten damals durchgeführten Arbeiten ge-hörte die Ausräumung des meterhoch mit Schutt angefüllten Beinhauses unter dem goti-schen Turmchor, wobei ausser zahllosen Gebeinen und rund 1500 Schädeln überraschen-derweise auch einige bedeutende sakrale Kunstwerke zum Vorschein kamen, die, ausser Ge-brauch gekommen, vermutlich hinter der einstigen Schädelwand verborgen worden wa-ren[35]. Neben zwei romanischen Sitzmadonnen[36], einem romanischen Kruzifix[37], einem Vor-tragekreuz des 14. Jahrhunderts und der spätgotischen Holzstatue eines Diakons fand sich auch ein spätmittelalterlicher Zeugdruck, der mit den übrigen Stücken zusammen im Pfarr-haus die Einrichtung des seit langem geplanten Talschaftsmuseums erwartet (Abb. 16).
Es handelt sich um ein stark zerrissenes, im Gebrauch und vor allem durch die jahrhunderte-lange Lagerung im Schutt des Beinhauses schadhaft gewordenes Stück Z-gesponnenes Leinen, das anlässlich seiner Auffindung gereinigt und auf eine neue Leinenunterlage auf-genäht wurde. Es misst heute etwa 175×159 cm und ist links etwas eingeschlagen; wie sich aus der symmetrischen Anordnung der Druckstöcke ergibt, fehlt rechts nur wenig, und auch

[35] Das Lager dauerte zwei Wochen und stand unter Leitung des damaligen Assistenten des kunsthistori-schen Seminars Dr. JOSEF MARTIN LUSSER; es wurde in den beiden folgenden Jahren fortgesetzt. Erste Ver-öffentlichung der Funde durch J. M. LUSSER, Die Wiederherstellung der alten Kirche von Jaun durch Freiburger Universitäts-Studenten, Beiträge zur Heimatkunde 7.1933, S. 55–62. Das Verstecken von altem Gerät und Kunstgut im Beinhaus in Jaun ist, wie das Beispiel von Raron zeigt, kein Einzelfall. A. A. SCHMID, Beiträge zur Kunstgeschichte Rarons im Mittelalter, in Raron. Burg und Kirche (Basel 1972), S. 91.

[36] Beide Stücke behandelt in der vor der Veröffentlichung stehenden Freiburger Dissertation von BRIGITTA SCHMEDDING, Nrn. 8 u. 10 des Katalogs.

[37] Trésors de Fribourg, Exposition au Musée d'Art et d'Histoire de Fribourg 1955, Nr. 28.

Abb. 16. Zeugdruck aus der alten Pfarrkirche von Jaun. Jaun (Freiburg), Pfarrhaus.

oben und unten scheint, wenn man von den grossen Lücken und Löchern absieht, von der einstigen Gesamthöhe nichts Wesentliches verlorengegangen zu sein. Dargestellt ist mit Hilfe von fünf Modeln eine Komposition, in deren Mitte sich eine Verkündigung an Maria (1) befindet; rechts und links erscheint, durch eine ornamentale Zone von ihr getrennt, in gleichem Abstand eine Maria mit Kind in halber Figur (2). Das Ornament zeigt in vier Bahnen dreisträhniges gezogenes und gerundetes Flechtwerk mit Rosen und spitz zulaufenden Blättern (3). Es findet sich ein zweites Mal, diesmal nur in halber Breite, als äusserer Abschluss neben den beiden Marienholzschnitten und ein weiteres Mal – hier liegend und in voller Breite – am obern Rand des Drucks. Über und unter der Bilderzone erscheint je in zwei Zonen ein zwischen Gefässen, aus denen an langen Stengeln fünfblättrige Blumen spriessen, gegenständig angeordnetes Vogelpaar (4). Die Verkündigung ist aus zwei Holzstöcken von gleicher Grösse zusammengesetzt.

Wozu kann unser Zeugdruck gedient haben? Das Format lässt nicht an eine Altardecke, sondern eher an ein sogenanntes Hunger- oder Fastentuch denken, wie sie im Spätmittelalter zur Verhüllung der Retabel vom Passions- bis zum Ostersonntag verwendet wurden. Für die Kirche von Jaun sind im Visitationsprotokoll von 1453 zwei Altäre bezeugt[38], und es darf wohl auch mit Retabeln gerechnet werden.

Fassen wir die Holzstöcke etwas näher ins Auge. Die Verkündigung, leider schlecht erhalten und in ihrer formalen Aussage nicht leicht zu interpretieren, ist wie erwähnt mit zwei Modeln gedruckt; die Trennlinie verläuft waagrecht etwa in der Bildmitte, unterhalb des untersten Zepterknaufs. Die Darstellung zeigt rechts Maria, an einem Betschemel oder Lesepültchen kniend; über das Möbel ist ein Deckchen mit Fransen gebreitet, auf dem quer ein aufgeschlagenes Buch liegt. Die Gestalt mit doppelt umrandetem Scheibennimbus hebt sich vor einem pflanzlich gemusterten Wandbehang ab. Rechts und links sind fein plissierte Vorhänge zu erkennen, und ein in ungeschickter Perspektive wiedergegebener, fransenbesetzter Baldachin überhöht das Ganze; in der Bildmitte hängt ein eingeschlagener Vorhang herunter, und nach diesem aus den niederländischen Verkündigungsdarstellungen des 15.Jahrhunderts stammenden Motiv wird man Baldachin, Vorhänge und Behang als Abbreviatur des zum Gemach der Jungfrau gehörenden Himmelbettes interpretieren dürfen. Der Raum ist im übrigen nur durch den perspektivisch verlaufenden Fliesenboden angedeutet. Feine Säulchen und Ansätze von Masswerkbogen schliessen seitlich die Bühne nach vorn ab. Maria in hochgegürtetem Rock und Mantel, das lange Lockenhaar über Schultern und

---

[38] Bern, Staatsarchiv. Abschrift durch FRANÇOIS DUCREST im bischöflichen Archiv Freiburg. M. MEYER, Visites pastorales de l'Evêque Georges de Saluces, Archives de la Société d'Histoire du Canton de Fribourg 1/1850, S. 155–330, bes. S. 204. Der eine Altar war nicht geweiht.
Ein Inventar von 1679 nennt bereits drei Altäre, neben dem Hochaltar (St. Stefan) und dem 1453 erwähnten Katharinen- einen Rosenkranzaltar.

Rücken fallend, hat erschreckt die Rechte in abwehrendem Gestus erhoben. Der Erzengel Gabriel tritt in ihrem Rücken von links hinzu, in Albe und Dalmatika gekleidet. Die Linke hält ein Zepter, die Rechte ein leeres Spruchband, das sich S-förmig zwischen den grossen Schwingen nach oben windet. Bei den seitlichen Holzschnitten erscheint die Halbfigur Mariens hinter einer Brüstung mit von Hand eingezeichneter Quaderung. Ihr Antlitz ist durch einen bildparallel angebrachten Wandbehang mit Brokatmuster herausgehoben; der Typus dieser Darstellung von Mutter und Kind mit Brüstung und rückwärtiger Draperie scheint in den südlichen Niederlanden im Kreis um Robert Campin und Rogier van der Weyden entwickelt worden zu sein[39] (Abb. 17–19). Das Blatt- und Blütenornament zeigt als Besonderheiten den Doppelkontur und die kräftige Mittelrippe der spitzen, fiedernervigen Blätter sowie Blüten mit je fünf Kelch- und Kronblättern; auffallend sind die starken Beschädigungen des Holzstocks, die namentlich bei den seitlichen Blattnerven in Erscheinung treten. Der Holzstock ist am linken Rand der Mittelzone zweimal in voller Höhe verwendet, aber in halber Breite; der ganze Stock zeigt übereinander angeordnet zwei Reihen zu vier Rosetten und zwei Reihen gleichgerichteter Blätter, zwischen denen anderthalb Reihen entgegengesetzt gerichteter Blätter stehen (Abb. 20). Die Anordnung der Model dieser Zone ist insofern missraten, als sich deren Höhe von links nach rechts reduziert. Die Brüstung im Marienholzschnitt links ist entsprechend höher, und die Abdeckungen am untern Ornamentholzschnitt nehmen nach rechts zu. In der obersten Zone wird dieser Druckstock liegend, aber in wechselnder Anordnung, viermal ganz und – rechts und links aussen – zweimal verkürzt verwendet. Das Model mit den Vögeln endlich ist nach Art eines Schrotblattes gestaltet; vor einem weissgekörnten Grund steht in der Mitte ein kleines Gefäss mit gerader, sich leicht nach oben erweiternder Wandung und drei waagrechten Rillen, aus dem fünf gerade Stengel nach oben steigen; hier streben sie in sanftem Bogen, fünfteilige Blüten und lanzettförmige Blätter tragend, auseinander. Diesem mittleren Element entspricht an den seitlichen Rändern je zur Hälfte ein verwandtes mit grösserem, reicher gestaltetem Kübel und reicherem pflanzlichem Dekor. Ein Vogelpaar mit rückwärts gewandtem Kopf und langen Schwanzfedern ist gegenständig und symmetrisch beidseits der Mitte angeordnet, frei vor dem Grund schwebend. Unter dem mittleren Gefäss findet sich ein leicht schräggestellter

---

[39] Zur Genesis der Madonna in Halbfigur vgl. E. PANOFSKY, Early Netherlandish Painting (Cambridge Mass., 1958) Vol. 1, S. 294–298, der den niederländischen Typ von den im Werk Rogiers um 1460 einsetzenden Devotionsdiptychen – Madonna mit Kind und einem betenden Stifter in halber Figur – herleitet und auf die mittelbyzantinischen Ursprünge der Halbfigur-Madonna sowie deren wahrscheinliche Vermittlung an die nordische über die italienische Dugento- und Trecentomalerei verweist. Die Frage müsste jedoch gerade im Hinblick auf die vermutlich von einem verlorenen Bild des Meisters von Flémalle abhängigen Holzschnitte, zu denen – seitenverkehrt – auch das berühmte Schrotblatt der Madonna des *Bernhardinus Milnet* (S. 2482) im Britischen Museum gehört, neu überdacht werden. A. M. HIND, loc. cit. (Anm. 2), S. 183 f. und Fig. 80.

Abb. 17. Maria mit Kind in halber Figur.
Holzschnitt (S. 1039b). Wolfenbüttel, Bibliothek.

Abb. 18. Maria mit Kind in halber Figur.
Detail aus dem Zeugdruck von Jaun.

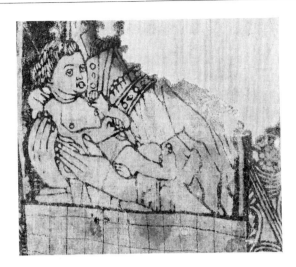

Abb. 19. Jesukind. Detail aus dem Zeugdruck von Jaun.

Berner Schild, von dem in flachem Bogen zwei an den Enden leicht eingerollte schraffierte, aber im übrigen leere Spruchbänder ausgehen. Die seitlichen Kübelhälften rechnen eindeutig mit einer Ergänzung durch Rapport. Unter dem Kübel sind hier das Wappen der Stadt St. Gallen und ein heller Schild mit dunkel schraffiertem Balken (Zug oder der in verkehrten Farben dargestellte habsburgische Bindenschild?) angebracht (Abb. 22).

Es ist mir kein Fall eines mittelalterlichen Zeugdrucks bekannt, von dessen Holzstöcken mehrere Reproduktionen erhalten geblieben wären. Man darf es darum als einen ungewöhnlichen Glücksfall bezeichnen, dass vier der fünf Model des Jauner Tuches auch auf einem Antependium auftreten, das aus Illgau im Muotatal, Kanton Schwyz, 1901 ins Historische Museum Basel gelangt ist[40] (Abb. 24). Hier geht es um eine aus drei Stücken zusammengenähte ungebleichte Leinwand von 100 × 170 cm. Das Format lässt keinen Zweifel über die Funktion aufkommen: es handelt sich mit Sicherheit um den Behang für die Vorderseite eines Altars. Die Anordnung der Model ist derjenigen des Tuches von Jaun eng verwandt. Im Zentrum finden wir ebenfalls den Verkündigungsholzschnitt, der hier im Unter-

[40] Inv. Nr. 1901. 185, erworben von einem Händler in Sissach (Basel-Landschaft). Das Stück zeigt Spuren von Gelb- bzw. Ockerbemalung und wurde 1964 restauriert. P. HEITZ, Einblattdrucke des 15. Jh., Bd. 50: E. MAJOR, Holz- und Metallschnitte aus öffentlichen und privaten Sammlungen in Aarau, Basel, Romont, St. Gallen, Zürich (Strassburg 1918), S. 20 ff., Taf. 27 und 28. Mittelalterlicher Zeugdruck in Europa, CIBA-Rundschau 24 (April 1938), S. 862–874, bes. 873 f. A. JEAN-RICHARD, Kattundrucke der Schweiz im 18. Jh., o. O. u. J., S. 14.

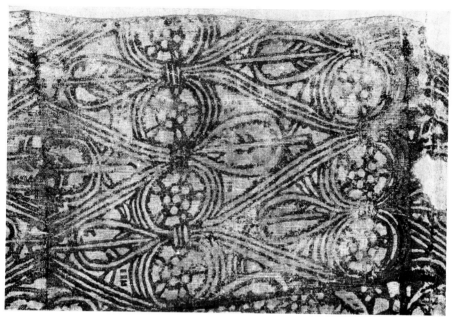

Abb. 20. Blatt- und Blütenornament. Detail aus dem Zeugdruck von Jaun.

Abb. 21. Blatt- und Blütenornament. Detail aus dem Antependium von Illgau
im Historischen Museum Basel.

Abb. 22. Model mit gegenständigen Sittichen. Detail aus dem Zeugdruck von Jaun.

schied zu Jaun relativ gut erhalten blieb, rechts und links davon eine kleinere Mariendarstellung. Die Zwischenräume zwischen den drei Darstellungen sind mit dem Blatt-Blüten-Holzschnitt ausgefüllt, der hier in voller Breite erscheint und, auch dies wie in Jaun, sich als oberer Abschluss liegend in wechselnder Anordnung über der Mittelzone findet. Den unteren Streifen bilden im Rapport die gegenständigen Sittiche, die übereinandergestellt auch als seitlicher Abschluss der Mittelzone auftreten. Die strenge Axialsymmetrie der ganzen Anordnung lässt den Schluss zu, dass links das Vogelmotiv ungefähr um ein Viertel verkürzt wurde, während es rechts fast ganz verlorenging. Entsprechend wären wohl auch die vier Wiederholungen des Vogel-Models unten seitlich noch zu ergänzen. Anstelle des Holzschnittes der Madonna in halber Figur tritt in Basel, leider sehr schlecht erhalten, die hinter einer bildparallelen Brüstung oder einem Tisch dargestellte frontale Halbfigur der Muttergottes, die das vor ihr über einem Buch sitzende Kindlein lesen lehrt; die Ergänzung zur vollen Höhe des Verkündigungsholzschnittes wird hier statt durch die von Hand gezeichnete Quaderbrüstung durch das Blatt-Blüten-Ornament – liegend und in halber Breite – bewerkstelligt (Abb.25).

Abb. 23. Model mit gegenständigen Sittichen. Detail aus dem Antependium von Illgau.

Mit Ausnahme des letztgenannten Models scheint das Antependium von Illgau auf den ersten Blick mit denselben Holzstöcken hergestellt worden zu sein wie das Jauner Tuch. Genaueres Hinsehen enthüllt indessen eine erstaunliche Tatsache: kleine, aber nicht zu übersehende Unterschiede beweisen unwiderlegbar, dass für die beiden Zeugdrucke, abgesehen von der zentralen Verkündigung, verschiedene Stöcke verwendet worden sind. Am leichtesten ist dies beim Model mit den gegenständigen Vögeln auszumachen. Bei den Wappen ist der Bindenschild des Jauner Stücks (J) auf dem Antependium (B) durch den Schild von Konstanz ersetzt; das Sankt Galler Wappen erscheint seitenverkehrt, und der Berner Bär, dessen Schild stärker aus der Achse gerückt ist, klettert auf B nach heraldisch rechts. Die beiden Gefässe sind auch auf B in der Grösse deutlich unterschieden. Das kleine in der Bildmitte besitzt nur mehr zwei statt drei Rillen, und das grosse ist einzig noch am obern Rand mit einer gerillten Bordüre versehen, die fast nach einem Perlstab aussieht; der Kübel auf J zeigt eine viel üppigere – und weichere – Profilierung. Das Spruchband von J ist leer und nur senkrecht schraffiert, dasjenige von B ist mit schwer zu deuten, vielleicht auch gar nicht lesbaren Buchstaben und Zeichen gefüllt[41]. Auch bei den Vögeln lassen sich Verschiedenheiten feststellen: die Schwungfedern bei J sind rechts in zwei Zonen angeordnet, links ineinander verflochten; B gibt sie einheitlich in dreifacher Überdeckung. Die Andeutung eines Halsbands wird in J mit drei, in B mit zwei Linien bewerkstelligt, Beine und Fänge sind in J kräftiger, in B magerer. Die Augen sind in J gerundet, in B leicht mandelförmig zugespitzt. Überdies ist auch der Verlauf der Stengel leicht geändert, und endlich stellen wir bei B noch eine andere, weniger dichte Disposition des Schrotgrundes fest. Dies alles führt zur Annahme, das in Jaun verwendete Model sei etwas älter und das annähernd seitenverkehrte in Basel nach einem Abdruck dieses Models gepaust worden. Auch beim Blatt- und Blütenornament sind Unterschiede festzustellen. Der für J verwendete Holzstock befand sich in viel schlechterem, ausgesprochen schadhaftem Zustand. In B steht das Blatt über einem kleinen Kelch. Die senkrechte Blattrippe geht in J bis zur Spitze durch, und sie wird durch zwei parallele Linien angedeutet; in B sind die Blattnerven weniger zahlreich und leicht gekurvt, die Mittelrippe wird zu einem Nerv wie die andern gemacht und nicht bis zur Spitze durchgeführt. Endlich sind auch die Zwickel zwischen Blüten und Blättern anders gefüllt. Allgemein kann festgestellt werden, dass das Model von B straffer organisiert und besser, logischer durchgezeichnet erscheint.

Die beiden Muttergottesdarstellungen können nur in ihrer formalen Aussage verglichen werden. Das im Spätmittelalter beliebte Thema des von Maria im Lesen unterwiesenen Jesuskindes von B scheint, soweit der äusserst schlechte Zustand dieses Drucks eine Beurteilung überhaupt noch zulässt, stilistisch älter: weiche, kaum gebrochene Zugfalten kennzeichnen Mantel und Kopftuch. Das Kind ist bekleidet, die Mutter gekrönt. Man ist versucht, den Holzschnitt um die Mitte des 15. Jahrhunderts anzusetzen, wenn nicht noch früher (Abb. 25). Auch der Holzschnitt von J mit den vollen Formen der Gesichter von Mutter und Kind, dem Schnitt der Augen bei Maria und der Haartracht des Jesuskindes dürfte nicht lange nach der Jahrhundertmitte entstanden sein, jedenfalls noch im dritten Viertel. Die ikonographischen Übereinstimmungen mit dem wohl niederländischen Holzschnitt mit Maria und Kind im Diözesanmuseum Breslau und in der Bibliothek von Wolfenbüttel (S. 1039b) gehen, abgesehen von der Kopfbedeckung, derart weit, dass auf die gemeinsame Abhängigkeit beider von einem bedeutenden Vorbild, vermutlich einem Marienbild Robert Campins, des Meisters von Flémalle, geschlossen werden muss[42]. Allein das in J und B verwendete

---

[41] Die hs. Katalognotiz des Historischen Museums Basel liest ſlſuſ und ſnſt, wobei das F eher einem Paragraphenzeichen ähnlich sieht.

[42] Bereits K. RATHE, Mitteilungen der Gesellschaft für vervielfältigende Kunst 1922, S. 28 ff., hat auf die Salting-Madonna in der Londoner National Gallery (Nr. 2595) hingewiesen. A. M. HIND, loc. cit. (Anm. 2), S. 152 f. Vgl. either F. WINKLER, Vorbilder primitiver Holzschnitte. Zeitschrift für Kunstwissenschaft 12. 1958, S. 37–50. Bezüglich der Ähnlichkeiten zwischen unserem Zeugdruck und S. 1039b ver-

Abb. 24. Antependium aus Illgau (Schwyz). Basel, Historisches Museum.

Model mit der Verkündigung liegt später: die Darstellung verrät räumliches Sehen, obgleich sie ungekonnt in die Zweidimensionalität des Holzschnittes übersetzt wurde; die Linie ist aussagekräftiger geworden, die Falten sind spröder und splittriger, ungeachtet der Parallelschraffuren, die sie begleiten und in denen trotz allem noch etwas von den voluminösen Röhrenfalten der Jahrhundertmitte weiterlebt[43]. Sucht man nach Vergleichsbeispielen aus der zeitgenössischen Graphik, so treten oberrheinische Blätter in den Vordergrund, namentlich Stiche des Meisters E.S., in denen sich etliche analoge Falten- und Bewegungsmotive bele-

gleiche man das Gesicht und die Hände der Muttergottes bis in Einzelheiten, die von der linken Schulter diagonal nach unten laufende, edelsteinbesetzte Borte, die Stellung des Kindes, wobei dem Holzschneider von B zweifellos nicht alles geglückt ist. Die Haartracht des Knaben auf unserem Model scheint dem Vorbild eher näherzustehen als der Breslauer Holzschnitt.

[43] Der handschriftliche Katalog des Historischen Museums Basel datiert den Holzschnitt mit Maria und Kind beim Lesen ins dritte, die Verkündigung ins vierte Viertel des 15.Jh.; E. MAJOR, loc.cit. (Anm.40), und nach ihm A. M. HIND, loc.cit. (Anm.2), S.69, datierten beide Holzschnitte ins dritte Jahrhundertviertel. Es sei im übrigen vermerkt, dass der Basler Katalog in einem Nachtrag bereits auf das Stück in Jaun hinweist.

gen lassen, ohne dass ich eine direkte Beeinflussung seitens dieses grossen Anonymen oder eines andern Meisters vorschonogauerischer Graphik nachzuweisen vermöchte (Abb. 26). Schwieriger wird die Suche nach Vergleichen beim Blatt- und Blütenmodel und bei den Vögeln. Beide wirken im Habitus älter als die frühesten Ornamentstiche; die Imitation eines Schrotblattes deutet auf das dritte Jahrhundertviertel, als diese eigenartige Behandlung dunkler Flächen ausgesprochen Mode war[44]. Die langgezogene, weiche Führung der Blatt- und Blumenstengel, die wulstigen Profile der grossen Gefässe und die elegante Haltung der Vögel mit ihren überaus kräftig gebildeten Fängen in J deuten jedenfalls eher noch auf die letzten Ausläufer des weichen Stils um die Jahrhundertmitte als auf die spitze, splittrige Spätgotik der Generation Schongauers[45], und das gleiche gilt für die doppelten Konturen der Blätter und verstärkt für ihre wulstigen Mittelrippen in J.

Aus stilistischen Erwägungen gelangen wir somit zu einer Datierung des Tuchs von Jaun und des Antependiums aus Illgau in das dritte Viertel des 15. Jahrhunderts; als ältestes zur Verwendung gelangtes Model glauben wir Maria mit dem lesenden Christkind auf B zu erkennen, dicht gefolgt vom Vogel- und vom Blatt- und Blütenholzschnitt auf J. Der Marienholzschnitt von J dürfte etwas jünger sein und vielleicht in die sechziger Jahre gehören. Den Abschluss bildet zeitlich bestimmt die Verkündigung, aber auch sie ist durchaus noch im dritten Jahrhundertviertel unterzubringen.

Wurde das Tuch von Jaun im Verlauf der Arbeiten angeschafft, die durch die bischöfliche Visitation von 1453 ausgelöst worden waren? Bau und Ausstattung haben sich laut Protokoll in reparaturbedürftigem Zustand befunden[46], aber die Akten lassen uns hinsichtlich Art und Umfang der damals unternommenen Renovation natürlich im Stich. Sicher ist auf Grund der Zusammengehörigkeit der Zeugdrucke von Jaun und Illgau einzig, dass es sich hier wie dort nicht um Einzelstücke, sondern um mehr oder weniger industriell hergestellte Serienware handelt, für die ein eigentlicher Markt bestanden haben muss; anders wäre die Tatsache zweier nur geringfügig voneinander abweichender Auflagen der gleichen ornamentalen Holzschnitte schwer zu erklären. Die ornamentalen Model von B halte ich für etwas jünger, sie finden sich aber in Gesellschaft des mutmasslich ältesten und des jüngsten Models, der Muttergottes mit dem lesenden Jesuskind und der Verkündigung. Daraus und aus den star-

---

[44] A. M. HIND, loc. cit. (Anm. 2), S. 175–197, gibt als Zeitraum für die – hauptsächlich deutschen – Schrotblätter die zweite Jahrhunderthälfte an, M. GEISBERG, loc. cit. (Anm. 15), S. 39–48, die Zeit von der Mitte des 15. Jahrhunderts bis zum Auftreten Schongauers.

[45] Man vergleiche im Hinblick auf die erwähnten Besonderheiten – kräftige Gestaltung der Beine und Fänge, Art des Gefieders usw. – etwa den Vogel-Neuner des Meisters der Spielkarten, L. I, 114, 68; G. 41. M. GEISBERG, Die Anfänge des Kupferstiches (Meister der Graphik Bd. II), Leipzig [1923], Taf. 4.

[46] *vereria fenestra a parte epistole reaptetur muri ipsius navis dealbentur, apponatur aspersorium ante portam ecclesie, et tectum ipsius reparetur...* Vgl. Anm. 38.

Abb. 25. Maria mit lesendem Kind. Detail aus dem Antependium von Illgau

ken Abnützungsschäden darf doch wohl gefolgert werden, dass die Druckstöcke über längere Zeit im Gebrauch standen und von Fall zu Fall kombiniert wurden, sei es auf Vorrat, sei es nach den Wünschen des jeweiligen Bestellers.

Wo jedoch lag die Werkstatt, in der diese Leinenstücke hergestellt und bedruckt wurden? Hier können vielleicht die Wappen auf den beiden Vogel-Modeln weiterhelfen, wenigstens bis zu einer Vermutung, die hier abschliessend geäussert sei. Der Bindenschild auf J ist nicht mit Sicherheit zu deuten[47]. Die Wappen von St. Gallen und Konstanz, das in J an die Stelle des Bindenschildes tritt, weisen auf die Ostschweiz; St. Gallen insbesondere war im Spätmittelalter ein Zentrum der Leinwandherstellung und des Leinwandhandels. Wie steht es nun aber mit dem Berner Bär, der so prominent in diesem Zusammenhang erscheint? In St. Gallen bestand spätestens seit den zwanziger Jahren des 15. Jahrhunderts eine Handelsgesellschaft, deren Hauptteilhaber zwei Familien aus Bern und St. Gallen stellten, die Diesbach-Watt-Gesellschaft. Im Lauf der Zeit stiessen noch weitere Einleger aus Bern, St. Gallen, Nürnberg, Breslau und Basel dazu[48]. Die Gesellschaft führte Geschäfte grossen Umfangs in halb Europa durch, von Polen bis nach Südfrankreich und Spanien, wobei der Leinen- und Barchenthandel eine bedeutende Rolle spielte. Sankt Galler Leinwand war der hauptsächlichste Ausfuhrartikel. Bisher war freilich nicht bekannt, dass die Gesellschaft nicht allein Leinwandballen exportiert hätte, sondern auch Zeugdrucke. Das ungewöhnliche gemeinsame Auftreten des Berner und des Sankt Galler Wappens deutet aber vielleicht doch darauf hin, dass unsere beiden Stücke etwas mit der Diesbach-Watt-Gesellschaft zu tun haben könnten, die ihrerseits auch in Freiburg über geschäftliche Verbindungen verfügte[49]. Freilich sind die Drucke zu einem Zeitpunkt angefertigt worden, da die Gesellschaft ihren Höhepunkt offensichtlich bereits überschritten hatte. Ihre Blütezeit fällt in die Jahre vor 1440, und ihr Bestand ist sogar nur bis 1458 sicher bezeugt; aber nichts verbürgt uns, dass sie nicht noch in den sechziger Jahren existierte oder dass die für ihre Fabrikate verwendeten Model nachträglich nicht von Dritten übernommen wurden, vielleicht gerade um einer nach wie vor vorhandenen Nachfrage zu genügen.

---

[47] Man vergleiche dazu die Spätwerke L. 220 und – trotz der umgekehrten Helligkeitswerte – L. 222 des Meisters E. S., wo die Frage, ob es sich allenfalls doch um den österreichischen Schild handelt, offenbleiben muss. MAX GEISBERG, Der Meister E. S. (Meister der Graphik Bd. X), Leipzig² [1924], Taf. 38, S. 47 und 44.

[48] H. AMMANN, Die Diesbach-Watt-Gesellschaft. Ein Beitrag zur Handelsgeschichte des 15. Jahrhunderts. Mitteilungen zur vaterländischen Geschichte Bd. XXXVIII/1 (St. Gallen 1928).

[49] Nach H. AMMANN, a. a. O., S. 64, betrieb Niklaus v. Diesbach, mit den Vettern Hug und Peter von Watt zusammen der Gründer der Gesellschaft, in Freiburg i. Ue., wo er seine zweite Frau holte, Geschäfte; auch für Peter Schopfer, Sohn des Schultheissen von Thun und wie sein Vater Teilhaber der Gesellschaft, sind zwei geschäftliche Aufenthalte in Freiburg nachweisbar. – Dass die Gesellschaft nicht nur mit Sankt Galler Leinwand handelte, sondern in ihren Teilhabern auch an der Leinwandindustrie beteiligt war, wissen wir von Hug von Watt mit Sicherheit, denn er zahlte 1425/26 der Stadt verschiedene Male Gebühren für die Benutzung der Mange.

Abb. 26. Mariae Verkündigung. Mittelstück aus dem Antependium
von Illgau.

DIE HANDARBEITEN DER MARIA

EINE IKONOGRAPHISCHE STUDIE UNTER
BERÜCKSICHTIGUNG DER TEXTILEN TECHNIKEN

VON ROBERT L.WYSS

In der Abegg-Stiftung in Riggisberg befinden sich zwei kleine Gemälde, die für die Textil-
kunde von besonderem Interesse sein dürften. Das eine, ein kleines Tafelbild mit Maria als
Tempeldienerin, wird der Kölner Schule aus dem beginnenden 16.Jahrhundert zugeschrieben (Abb.11); das andere, die Heilige Familie darstellend, stammt aus der Werkstatt des
Sienesen Ambrogio Lorenzetti aus der ersten Hälfte des 14.Jahrhunderts (Abb.40). Diese
beiden Gemälde gaben mir Anlass, sowohl der Ikonographie dieser Themen im 14. und
15.Jahrhundert wie auch den Handarbeiten Marias nachzugehen[1]. Es liessen sich dabei vier
verschiedene Textiltechniken finden, die in der Kunst des Mittelalters, vor allem im deutschen, aber auch im französischen Sprachgebiet wiederholt bei den folgenden Themen zur
Darstellung gelangten:

	Allgemein	Vereinzelt
Maria als Tempeldienerin	Borten- und Bandweberei	Sticken
Verkündigung an Maria	Spinnen	–
Josephs Zweifel	Spinnen	Bortenweberei
Die Heilige Familie	Stricken	Bortenweberei, Spinnen, Sticken

Da sich die Anwendungen der verschiedenen Textiltechniken im allgemeinen auch mit den
vier erwähnten Themen identisch zeigten, habe ich die Darstellungen nach ikonographischen Zusammenhängen in Gruppen gegliedert und soweit wie möglich auch in chronologi-
scher Reihenfolge behandelt. Wenn ich meine Untersuchungen im wesentlichen auf deutsche und französische Darstellungen beschränke, so geschieht dies zur Vermeidung einer
allzu grossen Zersplitterung. Auch will diese Arbeit nicht den Anspruch auf Vollständigkeit
erheben, würde dies doch den Rahmen der vorliegenden Veröffentlichung sprengen.

[1] Als elementarste Grundlage dienten mir zwei ikonographische Arbeiten: J. LAFONTAINE-DOSOGNE, Icono-
graphie de l'Enfance de la Vierge dans l'Empire byzantin et en Occident, tome II, Mémoire dans l'Acadé-
mie Royale de Belgique, Bruxelles 1965. – R. FLURY-VON BÜLTZINGSLÖWEN, Maria mit Handarbeiten, Alte
und Moderne Kunst, II, H.12, 1957. – W. SCHUCHHARDT, Weibliche Handwerkskunst im deutschen
Mittelalter, Berlin 1941.

MARIA ALS TEMPELDIENERIN IN DEUTSCHEN DARSTELLUNGEN

Den Darstellungen mit Maria als Tempeldienerin begegnen wir seit dem 14.Jahrhundert in
Deutschland, in Stickereien und Tafelgemälden, vorwiegend aber bei Marienzyklen von
Kirchenfenstern. Diese geben uns die verschiedenen Szenen aus der Geschichte von Joachim
und Anna und aus Mariens Jugendzeit wieder, meistens beginnend mit der Zurückweisung
von Joachims Opfer und endend mit der Verkündigung an Maria. Diese Zyklen beziehen
sich auf die apokryphen Evangelien, auf das Protoevangelium des Jakobus (I, 8, 10) und auf
das Pseudoevangelium des Matthäus[2] und weisen unterschiedliche Szenenfolgen auf. Auf
den Tempelgang folgt in der Regel Maria, am Webstuhle arbeitend. Gelegentlich geht auch
Marias Gebet im Tempel der Webszene voraus, verschiedentlich gehört aber jene Szene zu
den der Webszene folgenden Bildern.

Die ältesten Darstellungen lassen sich in den Glasgemälden der beiden Marienfenster sowohl
in der St. Dionys- wie in der Frauenkirche in Esslingen finden. Die ältere Darstellung in der
St. Dionys-Kirche[3], deren Entstehung etwa um 1300 gewesen sein mag, zeigt in einem
Rundmedaillon Maria (Abb. 1), an einem schmalen, senkrecht stehenden Webrahmen sitzend, eine Borte[4] webend. Während sie mit der linken Hand die Kettfäden auseinanderhält,
führt sie mit der Rechten eine Webnadel mit dem aufgewickelten Einschlaggarn zwischen
den Kettfäden hindurch. Auf der anderen Seite des Webrahmens, Maria gegenüber, sitzt
eine helfende Jungfrau. Sie unterscheidet sich von Maria darin, dass ihr kein Nimbus beschie-
den ist. Von besonderem Interesse ist ihre Haartracht, trägt sie doch ein geknüpftes Haar-
netz. Über ihre Tätigkeit lässt sich weiter nichts aussagen.

Die etwas jüngere Darstellung in der Frauenkirche[5], die um 1320 entstanden sein dürfte,
weist in allen Einzelheiten eine schon wesentlich differenziertere Zeichnung auf. Diesmal
umrahmt die Szene ein hochovales Medaillon, wobei Maria wiederum links vor einem senkrecht stehenden Webrahmen sitzt (Abb. 2). Analog der älteren Darstellung greift sie mit der
Linken ins Kettfach und mit der Rechten führt sie die Webnadel. Eindeutig lässt sich auch
hier wiederum das Weben einer gemusterten Borte erkennen, wobei der Glasmaler bestrebt
war, den Verlauf der Kettfäden deutlich zu zeichnen.

[2] E.Henneke/W.Schneemelcher, Neutestamentliche Apokryphen, I, Tübingen 1959, S.280ff.
[3] H.Wentzel, Die Glasmalereien in Schwaben von 1200–1350, Corpus Vitrearum, Deutschland I, Berlin
   1958, S.130 ff., Abb.246.
[4] Wentzel bezeichnet den Vorgang, von den literarischen Quellen ausgehend, als Weben des Tempelvorhanges. Da im Glasgemälde die Kette sichtbar nur eine Bortenbreite umfasst, dürfte es sich eher um
   eine Borte handeln.
[5] H.Wentzel, Corpus Vitrearum, a.a.O., S.153 ff., Abb.293 und 317.

Abb. 1. Marienfenster (Ausschnitt), um 1300. Esslingen, St. Dionys-Kirche.

Im Gegensatz zu den beiden Esslinger Darstellungen hat der Meister eines um 1350–1360 angefertigten Glasgemäldes, das 1885 aus dem Chor der Wallfahrtskirche in Strassengel bei
Graz entfernt wurde und heute zu den Beständen des Österreichischen Museums für angewandte Kunst in Wien[6] zählt, die Webszene in ein Gemach verlegt, in welchem auch ein
Altar mit zwei Kerzenleuchtern steht (Abb. 3). Analog den vorangehenden Bildern sitzt
Maria links auf einer hohen Bank und webt an einem hochgestellten Rahmen an einer
reichgemusterten Borte. Mit der linken Hand führt sie die Garnspule, mit der rechten bedient
sie das hölzerne Webschwert, um die Einschlagfäden dicht aneinanderzuschlagen. Rechts
im Bilde, Maria zu Füssen, sitzen auf einem leicht erhabenen Podest drei Tempeljungfrauen
beieinander. Die vorderste stickt an einem kleinen Stickrahmen, die zweite hält in der rechten Hand eine Garnspule und die dritte ein Buch. Maria, mit einer Krone geziert, trägt auch
ein ausgesprochen höfisches Gewand, nämlich den aus dem französischen Modebereich

[6] E. FRODL-KRAFT, Die mittelalterlichen Glasgemälde in Wien, Corpus Vitrearum medii aevi, Österreich
Bd. I, Wien 1962, S. 132; vgl. auch Katalog: Gotik in Österreich, Krems an der Donau 1967, Nr. 132,
Farbtafel 10.

Links: Abb. 2. Marienfenster (Ausschnitt), um 1320. Esslingen, Frauenkirche.
Rechts: Abb. 3. Glasgemälde aus Strassengel, um 1350–1360.
Wien, Österreichisches Museum für angewandte Kunst.

Links: Abb. 4. Marienfenster (Ausschnitt), Werkstatt des Eberhard Vässler, um 1370. Regensburg, Dom.
Rechts: Abb. 5. Marien- und Annenfenster (Ausschnitt), Werkstatt des Jakob Acker, um 1400. Ulm, Münster.

stammenden «Surcot», bestehend aus einem blauen Untergewand mit langen Ärmeln und einem roten, unter den Schultern tief ausgeschnittenen Übergewand.

Für den Dom in Regensburg schuf auch der Glasmaler Eberhard der Vässler um 1370 einen Marienzyklus[7]. Auch hier befasst sich Maria mit dem Weben einer Borte, die sie in einen hochgestellten Webrahmen eingespannt hat (Abb. 4). In den beiden Ecken des Vordergrundes webt je eine sitzende Tempeljungfrau an kleinen, über den Knien gehaltenen Rahmen mit deutlich sichtbarer Kettbespannung. Durch die Marienkrone und den erhabenen golde-

[7] A. ELSEN, Der Dom zu Regensburg, Die Bildfenster, Berlin 1940, S. 82, 97, 100, Tafel 61.

nen Thron von königlichem Gepräge hebt der Glasmaler Maria deutlich von den beiden Jungfrauen ab.

Geraume Zeit später, um 1400, griff wieder ein Glasmaler das Thema auf. Diesmal war es Jakob Acker in Ulm, der diese Szene seinem Marien- und Annen-Fenster an der Südostwand des Chores im Ulmer Münster[8] eingliederte. Dieses Fenster hatten die Ulmer Weber zu Ehren ihrer Schutzpatronin, der heiligen Anna[9], gestiftet. Somit durfte auch die Szene der Verkündigung an Anna im Garten nicht fehlen, wobei Anna von dem Verkündigungsengel beim Abspulen einer Garnhaspel überrascht wird (vgl. Abb. 39). Maria, wiederum mit einer Krone auf dem Haupte, sitzt in ihrem Gemache an einem in der technischen Konstruktion schon auffallend differenziert wiedergegebenen Webstuhl (Abb. 5). Mit der einen Hand greift sie in die Kette, mit der anderen führt sie die Webspule. Die Kette ist sehr dicht be- spannt, wobei mehrere Kettfäden, zu einem Bündel zusammengefasst, am oberen Baum an- gebunden sind. Sie webt nicht mehr eine Borte, sondern ein kariert gemustertes Tuch in der gesamten Breite des Rahmens. Erstmals findet sich in dieser Darstellung eine kleine Truhe, angefüllt mit verschiedenfarbigen Garnknäueln. Auf einem niedrigeren Stuhl sitzt rechts eine Jungfrau, ausnahmsweise auch mit einem Nimbus versehen, und hält über ihrem Schoss in beiden Händen ein zusammengerolltes Tuch.

Dieser Gruppe von verwandten Darstellungen in Glasgemälden möchte ich diejenige des niedersächsischen, auf einer leinenen Unterlage mit Seide bestickten Altartuches angliedern, das um 1400 in einem Nonnenkloster für die Jodocikapelle in Braunschweig[10] gestickt wurde. Heute zählt dieses Textil, das mit 18 Szenen eine der reichhaltigsten Bilderfolgen des Marienlebens aufweist, zu den Sehenswürdigkeiten des städtischen Museums in Braun- schweig. Als zwölftes Bild in der zweiten Reihe rechts aussen findet sich Maria als Tempel- dienerin (Abb. 6). Sie sitzt neben einem Altar mit zwei Kerzenleuchtern auf einem Stuhle und arbeitet an dem senkrecht stehenden Webrahmen. Sie scheint an einer Borte beschäftigt zu sein, die durch die Mitte eines in Zickzackmustern gewebten Tuches verläuft, das die ge- samte Breite des Rahmens einnimmt. In der folgenden Darstellung des Braunschweiger Altartuches finden wir eine Szene mit zwei Tempeljungfrauen, deren Tätigkeit vermutlich im Sticken und Weben besteht (Abb. 7). Die Frauen sitzen sich, wie im Regensburger Glas- gemälde, gegenüber. Während diejenige rechts an einem rechteckigen, über den Knien ge-

---

[8] F. Burger, Die deutsche Malerei vom ausgehenden Mittelalter bis zum Ende der Renaissance, Bd. II, Handbuch für Kunstwissenschaft, Berlin 1917, S. 334, Abb. 413. Hier ist das ganze Marien- und Annen- Fenster abgebildet. – H. Seifert/E. von Witzleben, Das Ulmer Münster, Augsburg 1968, S. 43.

[9] B. Kleinschmidt, Die heilige Anna, ihre Verehrung in Geschichte, Kunst und Volkstum, Düsseldorf 1930, S. 421. Vgl. auch Seifert/von Witzleben, a.a.O., S. 42.

[10] B. Bilger/R. Hagen, Städtisches Museum Braunschweig 1861–1961, Festschrift, Braunschweig 1961, S. 42, Abb. 1 und 2 (Textilien).

Abb. 6. Tempeljungfrau. Altartuch mit Seidenstickerei
(Ausschnitt), um 1400. Braunschweig, Städtisches Museum.

haltenen Stickrahmen stickt, arbeitet die andere an einem hochgehaltenen ovalen Rahmen.
Dass es sich hier um einen Webrahmen handeln muss, geht daraus hervor, dass heute noch
deutlich die Spuren der Umrisszeichnung des Webschwertes in der linken Hand der Jungfrau zu erkennen sind. Maria Schuette glaubt[11], in den beiden Frauen Maria und Anna zu er-
kennen. Dagegen ist aber einzuwenden, dass in diesem gestickten Altartuche die heilige
Anna mehrmals als alte Frau dargestellt wurde und als Kopfbedeckung die älteren
Frauen zustehende Kopfhaube trägt. Die beiden Jungfrauen sind aber analog dem Ulmer
Glasgemälde mit einem Nimbus versehen. Was in dem Regensburger Glasgemälde in ein
und demselben Bilde zur Wiedergabe gelangte, wurde hier in zwei Szenen aufgespalten.
In dem einen Glasgemälde der St. Dionys-Kirche von Esslingen unterscheidet sich Maria
nur durch den Nimbus von der assistierenden Tempeljungfrau. In der Braunschweiger Stik-
kerei besteht überhaupt kein Unterschied. In den Glasgemälden von Wien, Regensburg und
Ulm wird der höhere Rang der Maria, ihre Vornehmheit, gleichsam einer Frau fürstlichen
Geblütes, durch grössere Gestalt und durch eine erhöhte Sitzbank oder einen königlichen
Thron, wie auch durch das Tragen einer Krone, in Wien sogar durch die ausgesprochen

[11] M. SCHUETTE, Gestickte Bildteppiche und Decken des Mittelalters, Bd. 2, Leipzig 1930, S. 23, Tafel 18.

Abb. 7. Zwei Tempeljungfrauen. Altartuch mit Seidenstickerei
(Ausschnitt), um 1400. Braunschweig, Städtisches Museum.

höfische Kleidung, noch deutlicher betont. Die Anzahl der an der Webszene beteiligten
Jungfrauen variiert. In der St. Dionys-Kirche in Esslingen und in Ulm hat Maria nur eine
Gehilfin, in Regensburg und in Braunschweig sind es deren zwei, und in Wien treten sie
sogar in der Dreizahl auf.
Bei all diesen Darstellungen besteht die Webeinrichtung aus einem senkrechten, auf zwei
Füssen stehenden Rahmen. Die Kettfäden sind in der Breite des vorgesehenen Gewebes, zwi-
schen den beiden Bäumen, d.h. den Querbalken oben und unten, gespannt. In den Glasge-
mälden von Esslingen, Wien und Regensburg webt Maria an einer Borte, die am oberen
Baum begonnen wurde und die sich von oben nach unten fortsetzen lässt. Somit werden die
Kettfäden mit dem hölzernen Webschwert von unten nach oben geschlagen. Bei der Wiener
Darstellung ist der Webrahmen mit einer doppelten Kette bespannt. Anders als bei dem
Glasgemälde in der Esslinger Frauenkirche, wo die Kettfäden um einen Baum gewickelt
sind, verlaufen hier die Fäden um beide Bäume herum, und das fertige Gewebe wird nach
hinten geschoben. Wieweit dies den Tatsachen entspricht oder infolge Unkenntnis der genauen Webtechnik der Phantasie des Glasmalers zugeschrieben werden muss, liegt nicht in
meinem Ermessen.

Abb. 8. Tafelgemälde, Kölner Schule, um 1460. Bottmingen, Sammlung Dr. Arthur Wilhelm.

Anschliessend an die Glasgemälde seien hier auch zwei Tafelbilder erwähnt. Das ältere ver-
dankt seine Entstehung um 1460 einem unbekannt gebliebenen Maler der Kölner Schule
(Abb. 8). Es gehört heute zur Sammlung Dr. Arthur Wilhelm in Bottmingen[12]. In einem
breiten, dreiseitig geschlossenen Gemache mit einem gemusterten Fliesenboden sitzen
Maria und drei Tempeljungfrauen nebeneinander. Während über dem Haupte Marias zwei
schwebende Engel eine Krone halten, schwenken zwei weitere, beide nur im Oberkörper
dargestellt, an langen Ketten hängende Weihrauchfässer, deren balsamischer Duft den
Raum erfüllt. Wie in den Glasgemälden von Wien, Regensburg und Ulm hätten wir auch
hier wiederum eine Akzentgebung in bezug auf Maria, die durch ihre Attribute wie Nim-

---

[12] Gefirnisste Tempera auf Holz, H. 57 cm, Br. 83,5 cm. Katalog: Basler Privatbesitz, Kunsthalle Basel,
1957, Nr. 19; H. FLURY-VON BÜLTZINGSLÖWEN, a. a. O., S. 9, veröffentlicht erstmals eine Aufnahme dieses
Gemäldes, ohne es aber näher zu beschreiben.

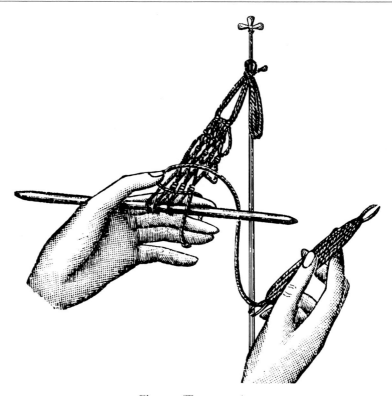

Figur 1 (Text unten).

bus und Krone und die Beräucherung mit Weihrauch sowie durch die weisse Farbe ihres
Gewandes hervorgehoben wird.

Die Tätigkeit der links aussen sitzenden Jungfrau besteht in der Herstellung einer Netzar-
beit, die sie an einem hohen Ständer aus rotem Garn mit einer dünnen Nadel und mit einem
hölzernen Stäbchen in einer Art Knüpftechnik anfertigt (Abb. 9). Der Umfang des Stäb-
chens bestimmt die Grösse der Maschen. Mit der sogenannten Filetnadel, einem dünnen
Metallstäbchen, das an beiden Enden gespalten ist und in dem sich der streifenartig aufge-
wickelte Fadenvorrat befindet, knüpft sie nach dem technischen Prinzip des Fischernetzes
den quadratischen Netzgrund (Fig. 1). Solche Netze gehörten im späten Mittelalter zur
Haartracht der Frauen. Als Beispiel sei hier auf das Glasgemälde in der Esslinger St. Dionys-
Kirche verwiesen (vgl. Abb. 1). Typische Netzgebilde für den Haarschmuck sind uns aus
dem Rheinlande bekannt und erhalten geblieben. Die zweite Jungfrau von rechts hält auf
ihren Knieen ein aufgeschlagenes Buch zur erbaulich-besinnlichen Lektüre. Diejenige rechts
aussen reinigt mit einem Tuch einen kleinen Krug aus rheinischem Steinzeug, mit welchem
ein Engel Maria täglich mit Tranksame versorgte.

Abb. 9. Ausschnitt aus Abb. 8.

Maria selbst beugt sich über einen auf zwei Böcken horizontal gelegten Stickrahmen und
steckt mit der rechten Hand die feine Nadel in die textile Unterlage. Die andere Hand hält
sie unter den Rahmen, um die Nadel samt Faden durch das Grundgewebe hindurchziehen
zu können. Die textile Unterlage, ein grünfarbiges Gewebe, hat sie beidseitig aussen mit
einem festen Faden in Zickzacklinien in den rechteckigen Stickrahmen gespannt und für
eine Bildstickerei bereits die eine Hälfte quadriert. Der Text auf dem weissen Spruchbande,
das sich in einer schön gewundenen Linie über den beiden Jungfrauen Maria zur Linken
hinzieht, nimmt Bezug auf das Hohe Lied Salomons (II, 1–2)

> « Ego flos campi et lilium con album,
> Sicut lilium inter spinas
> Sic amica mea inter filias »,

wobei die hier besungene Lilie zu den marianischen Sinnbildern der Jungfräulichkeit gehört.

Hier möchte ich ein Gemälde einschalten, das allerdings ein Spanier, Luis Borassa, im ausgehenden 14. Jahrhundert für die Kirche San Francisco in Vilafranca del Panadés (Barcelona)
malte und das die Bezeichnung « Die Heilige Jungfrau in der Schule »[13] erhielt. In zwei Reihen gegliedert, schreiten Maria und die sieben Tempeljungfrauen an einer älteren Frau, vermutlich der heiligen Anna, vorbei und zeigen ihr zur Begutachtung die selbstgestickten
Tücher (Abb. 10). Während die sieben Jungfrauen aus bunter Seide einfache stilisierte
Bäumchen stickten, oblag es den Pflichten Marias, einen ganzen Garten mit Palmen zu gestalten, über dem fünf Engel schweben und in dessen Mitte ein Brunnen mit zwei in verschiedenen Höhen gelagerten Wasserbecken steht. Es mag dies der versiegelte Brunnen (Fons
signatus) oder der Brunnen des Gartens (Fons hortorum) sein, so wie er bei den Darstellungen des Hortus Conclusus mit der mystischen Einhornjagd als marianisches Symbol[14] in der
Reihe der Sinnbilder für die Jungfräulichkeit Marias in Erscheinung tritt (vgl. Abb. 25). Es
ist dies eine der wenigen Darstellungen, welche die volle Zahl der sieben Gefährtinnen
Marias während ihres Aufenthaltes im Tempel wiedergibt und die Tätigkeit Marias und der
Jungfrauen anhand von Stickereien belegt.

Das andere, 1503 datierte Gemälde befindet sich in der Sammlung der Abegg-Stiftung[15] in
Riggisberg. Dieses kleine Gemälde dürfte Werner Abegg in erster Linie aus textiltechni-
schem Interesse erworben haben (Abb. 11). Es gewährt uns den Blick in einen mit Kreuzrip-

---

[13] M. Blanch, L'Art gothique en Espagne, Barcelone 1972, S. 306.

[14] R. L. Wyss, Vier Hortus Conclusus-Darstellungen im Schweizerischen Landesmuseum, Zeitschrift für
    Schweizerische Archäologie und Kunstgeschichte, Bd. 20, H. 2/3, 1960, S. 114 ff. – W. Mohlsdorf,
    Christliche Symbolik der mittelalterlichen Kunst, Leipzig 1926, S. 143.

[15] Inv. Nr. 14.14.66, Tempera auf Holz, H. 33,4 cm, Br. 25,3 cm.

Abb. 10. Luis Borassa, Die Heilige Jungfrau in der Schule (Ausschnitt), Ende 14. Jahrhundert.
Vilafranca del Panadés (Barcelona), San Francisco.

pen überwölbten Raum, in dem Maria mit drei Tempeljungfrauen arbeitet. Beim ersten Anblick glauben wir hier einen Kirchenraum zu erkennen, enthält doch die linke Seitenwand ein gotisches Kirchenfenster mit einem für die kirchliche Baukunst des 15.Jahrhunderts typischen Drei- und Vierpassmasswerk. Zudem grenzt dieser Raum an einen dreiseitig geschlossenen, leicht eingezogenen und mit Kreuzrippen überwölbten Kirchenchor, in den man durch einen Rundbogen gelangt und dessen Mittelachse sich auch mit derjenigen des vorderen Raumes identisch zeigt. Der vordere Raum erinnert aber ebensosehr an ein bürgerliches Gemach des ausgehenden 15.Jahrhunderts, gehören doch die Möbel und das an der rechtsseitigen Wand hängende Handtuch, der goldene Wasserkessel und das goldene Handwaschbecken in der Rundbogennische wie auch der goldene sonnenförmige Lichtspiegel mit dem Kerzenlicht zu den typischen Ausstattungsstücken von Wohnräumen aus jener Zeit.

Maria sitzt links auf einer Truhe mit dickem Polsterkissen. In ihrem Schoss hält sie ein flaches Körbchen mit einem Bügelhenkel, in welchem undefinierbares, vermutlich textilartiges Material, vielleicht Bänder oder Garnfäden, liegen. In der rechten Hand hält sie mit Daumen und Zeigefinger das dickere Ende einer Garnspule, und mit der anderen Hand fasst sie deren Spitze, wobei nicht ersichtlich ist, ob sie einen Faden auf- oder abspult. Verfolgen wir aber den Faden, der über einen hohen Ständer mit Querbügel, neben der Truhe stehend, verläuft und hinter der Truhe verschwindet, dann stellt sich die Frage nach der genaueren Tätigkeit. Um das Spinnen eines Fadens kann es sich nicht handeln, fehlt doch der Spinnrokken. Es dürfte vielleicht ein technischer Vorgang gezeigt sein, der zur Verfeinerung des Garnes dienen könnte, wie z.B. das Zwirnen und Aufspulen eines zweifarbigen Fadens, wobei zwei verschiedene Garnknäuel hinter der Truhe in einem Korbe liegen müssten, deren Fäden zur Straffung vor dem eigentlichen Zwirnen erst über einen Bügel gezogen werden. Auf jeden Fall scheint es ein Verfahren zu sein, dessen bildliche Überlieferung man heute so gut wie nicht kennt. Vor Maria kniet eine Tempeljungfrau in gelbem Gewande, die in der rechten Hand eine überdimensionierte, in schwarzer Farbe gemalte Schere hält und in der linken eine Spule, deren Faden zu dem am Boden liegenden Körbchen mit Garnknäueln verläuft. Auch hier lässt sich die Tätigkeit nicht genau definieren. Es scheint, als hätte sie von einem Garnknäuel ein Stück Faden auf die spindelartige Spule gewickelt und wollte nun diesen zerschneiden.

Auf der rechten Bildseite, Maria gegenüber, sitzen zwei Jungfrauen in vornehmen Kleidern, entgegen aller Tradition mit Hüten als Kopfbedeckung. Die hintere, im bräunlichen Gewande, sitzt auf einer vergoldeten Bank mit reichgeschnitzter Seitenwange und Rückenlehne. Hier wäre die Frage berechtigt, ob nicht die goldene Sitzbank als ein bevorzugendes und in der Bildtradition klassierendes Element eher Maria zustehen sollte. Der Verdacht, dass der Stuhl nachträglich in das Bild gemalt wurde, ist nicht von der Hand zu weisen, zumal der Maler die eine Seitenwange nicht zeichnete, was zu jener Zeit, in der alle Details sehr

Abb. 11. Maria als Tempeldienerin, Tafelgemälde, vermutlich Kölner Schule, 1503. Abegg-Stiftung Bern.

genau wiedergegeben wurden, unvorstellbar gewesen wäre. Die Jungfrau webt an dem hochgestellten Webrahmen eine breite schwarzberänderte Goldborte, die sie am oberen Kettbaum begonnen hat und nach unten hin verlängert. Die andere Jungfrau, in ein helles rosa Gewand gekleidet und weiter vorne und tiefer auf einem niedrigen Hocker sitzend, arbeitet an einem kleinen Bandwebstuhl, den sie auf ihrem Schosse hält.

Im Chorraume des Hintergrundes betet Maria, wiederum ein blaues Kleid mit rotem Mantel tragend, in einer an der linken Chorwand befindlichen Kirchenbank. Den Altar bedeckt ein weisses Altartuch, worauf zwei goldene Kerzenleuchter und ein dreiteiliger goldener Flügelaltar stehen.

Eine nähere Betrachtung dieses Bildes erweckt doch einige Zweifel und lässt die Vermutung aufleben, dass zwei verschiedene Hände daran beteiligt waren [16]. Wieweit sich das vorhandene Datum «1503» und die Signatur «H» über dem Rundbogen beim Choreingang zeitlich mit den qualitätvoll gemalten Gewandfiguren der Maria und der in Rosa gekleideten Jungfrau im Vordergrunde vereinbaren lassen, sei anderer und berufener Hand zum Entscheid überlassen.

Der Maler dieses Gemäldes schliesst sich insofern an die deutsche Bildtradition an, als er Maria von den drei Jungfrauen durch die alleinige Stellung auf der linken Bildseite scheidet. In den älteren Darstellungen nehmen die Jungfrauen sichtlich eine untergeordnete, in ihrer Arbeit bisweilen auch nur helfende Stellung ein. Im Abegg-Bild dagegen wird deren Eigenständigkeit stärker betont, indem wenigstens zwei der Jungfrauen an Grösse und Gestalt Maria ebenbürtig sind und auf einem eigenen Arbeitsinstrument eine textile Arbeit verfertigen. Während in der deutschen Bildtradition, mit Ausnahme des Kölner Gemäldes in der Sammlung Wilhelm in Bottmingen, Maria am hochgestellten Webrahmen arbeitet, ist diese Tätigkeit im Abegg-Bilde einer Tempeljungfrau überlassen.

An dieser Stelle muss auch auf das Glasgemälde eingegangen werden, das 1504 neben den Darstellungen der Geburt, des Tempelganges und der Vermählung Mariens im ehemaligen Karmeliterkloster in Nürnberg in dem von Sebald Schreyer gestifteten Fenster seinen Platz

---

[16] Sämtliche in goldener Farbe wiedergegebenen Ausstattungsstücke wie die Sitzbank der webenden Jungfrau, das Waschbecken und der Wasserkessel in der Rundbogennische, der Lichtspiegel, die Kerzenleuchter, die Altartafel und die Rippen des Chores sind mit einer auffallend groben und unsicher gezeichneten schwarzen Linie konturiert. Der kleine Löwe mit der Fahne liegt auf dem roten Bügel über dem Handtuch in der falschen Richtung. Er würde bei Vorziehen des Bügels gegen die Wand gerichtet sein, was vollkommen sinnwidrig wäre. Flüchtig sind auch die Butzenscheiben der Kirchenfenster gemalt. Der Faltenwurf des gelb-schwarzen Gewandes der knienden Jungfrau entspricht keineswegs der Auffassung der Gewanddarstellungen bei Maria und der in Rosa gekleideten Jungfrau rechts. Die Untersuchung der Tafel durch Dr. Thomas Brachert vom Schweizerischen Institut für Kunstwissenschaft in Zürich im Jahre 1972 ergab allerdings keine zeitlichen Unterschiede innerhalb der zweifellos vom Beginn des 16. Jahrhunderts stammenden Malerei. Möglich sind aber verschiedene Hände, Meister und Geselle.

Abb. 12. Hans Baldung Grien, Glasgemälde, 1504.
Grossgründlach (Bayern), Evangelisch-lutherische Pfarrkirche.

hatte, heute jedoch in der evangelisch-lutherischen Pfarrkirche von Grossgründlach[17] (Landkreis Fürth, Bayern) zu sehen ist. Der Entwurf zu dieser Darstellung mit Maria als Tempeldienerin stammt von Hans Baldung Grien (Abb. 12). Hans Leu d.J. hat ihn 1510 als Vorlage für eine eigene Zeichnung[18] wiederverwendet (London, British Museum). Obschon dieses Glasgemälde, von der Ikonographie her gesehen, bei den Darstellungen französischen Ursprungs einzuordnen wäre, darf es doch im Zusammenhang mit den deutschen Darstellungen nicht übergangen werden. Maria arbeitet hier an einem hochgestellten Webrahmen. Ihr gegenüber kniet ein Engel, der ihr die tägliche Nahrung überreicht (vgl. Abb. 24).

Nach der Zeichnung des Hans Leu zu schliessen, scheint der Glasmaler den Entwurf von Hans Baldung Grien in bezug auf die perspektivische Gestaltung, sowohl was den Kapellenraum im Hintergrund als auch was den Webstuhl betrifft, missverstanden zu haben. Bei Hans Baldung dürfte der Rahmen, an dem Maria arbeitet, so wie es aus der Leu'schen Zeichnung hervorgeht, senkrecht vor Maria gestanden haben und nicht leicht geneigt, wie dies im Glasgemälde deutlich sichtbar ist. Die Kette nahm nicht die gesamte Breite des oberen Baumes ein, so dass auf der linken Seite zwischen Kette und linksseitigem Rahmenbalken genügend Raum zur Verfügung stand, damit Maria ihre Beine über den unteren Baum hinweg nach vorne strecken konnte. Mit dem Stoff ihres Gewandes wurde somit der untere Baum verdeckt. Es ist mit aller Wahrscheinlichkeit anzunehmen, dass ein unterer Baum vorhanden ist, andernfalls müsste die Kette durch hängende Gewichte straff gezogen sein. Was die eigentliche Webarbeit anbelangt, so gibt allerdings das Glasgemälde deutlichere, aber auch ebenso fragwürdige Angaben. Im oberen Drittel der Kette hat Maria durch Verschlingung und Knüpfen eines Einschlagfadens einen horizontal verlaufenden, einem Netz ähnlich sehenden Streifen angefertigt. In der unteren Hälfte der Kette hat Maria scheinbar mit einer Garnspule, die sie in der rechten Hand hält, ein schmales Bortenstück gewoben, über dessen Vorderseite sie nun einen in einer Zickzacklinie nach unten verlaufenden Faden einschlingt. In diesem technischen Vorgang liegt das grosse Rätsel, das zu beantworten einige Mühe bereitet.

Von ikonographischer Bedeutung ist für uns das Miteinbeziehen der vor dem Altar betenden Maria in die gesamte Bildkomposition, kniet doch im Hintergrunde Maria mit gefalteten Händen vor dem an der linksseitigen Wand des Kirchenraumes stehenden Altar. Wiederum sind hier beide Szenen, die bisher zwar mehrmals sowohl in Glasgemälden, Textilien und, wie wir später noch sehen werden, auch in Miniaturen von Stundenbüchern, gesondert vor oder nach der Webszene, aber nicht gleichzeitig zur Darstellung gelangt sind, in ein und demselben Bild vereinigt. Was der Glasmaler des Wiener Glasgemäldes und die Stickerin

---

[17] K. Oettinger/K. A. Knappe, Hans Baldung Grien und Albrecht Dürer in Nürnberg, Nürnberg 1963, S. 61, Abb. 27, 30, Farbtafel X.
[18] Oettinger/Knappe, Hans Baldung Grien, a. a. O., S. 61, Anmerkung 309, Abb. 91.

Abb. 13. Israel van Meckenem, Tempelgang Mariae (Ausschnitt),
Kupferstich nach 1493. Zürich,
Graphische Sammlung ETH.

des Braunschweiger Altartuches andeuten wollten, indem sie beide einen Altar in ihren Bildern zeigten, vor welchem Maria ihre Andacht halten konnte, fand nun sowohl durch den anonymen Meister des Abegg-Gemäldes als auch durch Hans Baldung eine neue bildliche Form.

Unabhängig von der deutschen Bildtradition, völlig eigene Wege gehend, hat Israel van Meckenem in seiner Stichfolge des Marienlebens [19], die den 1493 entstandenen Weingartner Altar des Hans Holbein d. Ä. zur Grundlage hat, bei der Darstellung des Tempelganges Marias noch die Szene mit Maria als Tempeldienerin miteinbezogen (Abb. 13). In einem gesonderten, in erhöhter Lage im Hintergrunde wiedergegebenen Gemache sitzt Maria in der Mitte des Raumes und zerschneidet mit einer Schere einen Stoff, den ihr eine helfende Jungfrau ausbreitet. Zwei weitere Frauen, weniger an Jungfrauen als vielmehr an ältere Mägde erinnernd, die eine stehend, die andere sitzend, bemühen sich eifrig, Garn zu spinnen.

MARIA ALS TEMPELDIENERIN IN FRANZÖSISCHEN DARSTELLUNGEN

Im Protoevangelium des Jakobus heisst es: Maria aber wurde wie eine Taube gehegt und empfing Nahrung aus der Hand eines Engels. Dieses Motiv gab zahlreichen französischen und niederländischen Miniaturisten Anlass, in Stundenbüchern die Tätigkeit der webenden Maria als Tempeldienerin mit der Erscheinung eines Engels, der ihr Brot und reines Wasser brachte, in äusserst anmutigen Miniaturen zur Darstellung zu bringen. Hätten wir die Gelegenheit gehabt, sämtliche erhaltenen Livres d'heures des franco-flämischen Kulturbereiches nach solchen Szenen zu durchsuchen, dann hätten wir vermutlich eine grosse Zahl derartiger Darstellungen gefunden. Da aber Sinn und Zweck der vorliegenden Arbeit nicht auf Vollständigkeit ausgerichtet sein kann, begnügen wir uns mit einigen sowohl für die Bildikonographie als auch für die Borten- und Bandweberei typischen Beispielen. Vorausgehend sei darauf hingewiesen, dass die Webszene in vielen Fällen nicht als Einzel- oder als Hauptdarstellung gemalt wurde, sondern meistens nur als Nebenszene zum Bild der Verkündigung an Maria, das gewöhnlich im grösseren Format im Mittelpunkte steht. Die Webszene findet sich meistens unter den Motiven eingegliedert, welche die Verkündigung umrahmen. Diese Rahmenelemente bestehen entweder aus Szenenfolgen des Marienlebens oder aus Blumenranken und Gruppen schwebender oder musizierender Engel.

---

[19] Plattengrösse 26,8 × 18,9 cm. LEHRS 52. Katalog, Hans Holbein d. Ä. und die Kunst der Spätgotik, Augsburg 1965, Nr. 195, Abb. 200. Der Katalog erwähnt irrtümlicherweise Maria beim Purpur-Spinnen. Betreffend Vorlage des Tempelganges Mariae im Weingartner Marienaltar, in der anstelle der Maria als Tempeljungfrau die Heimsuchung dargestellt ist, vgl. Nr. 9, Abb. 9.

Abb. 14. Jacquemart de Hesdin, Livre d'heures de Jean de France,
Duc de Berry, 1405. Paris, Bibliothèque Nationale, ms. latin 919, fol. 34.

Eine solche Darstellung malte 1405 Jacquemart de Hesdin im Stundenbuch des Jean de
France, Duc de Berry (Paris, Bibliothèque Nationale, ms. latin 919, fol. 34)[20]. In einem gewölbten, an einen Kirchenraum erinnerndes Gemach sitzt Maria, frontal dem Bildbetrachter gegenüber, auf einem breiten Kissen hinter einer auffallend einfachen Webvorrichtung,
die zum Weben eines Bandes dient (Abb. 14). Marias Arbeit wurde durch das Herannahen
eines Engels unterbrochen. Ihr Blick ist auf den Engel gerichtet, der vom Deckengewölbe zu
ihr herniederschwebt und ihr ein Körbchen mit Brot und eine Kanne reinen Wassers bringt.

[20] M. THOMAS, Les grandes heures de Jean de France, Duc de Berry, Paris 1971, S. 52 b, Tafel 52. – FIERENS-
GEVAERT, Les Très belles Heures de Jean de France, Duc de Berry, 1924.

Maria trägt einen blauen Mantel, und als Himmelskönigin gereicht ihr die Krone zur besonderen Zierde.

Wenige Jahre später, um 1416, hat auch ein Miniaturist aus der Werkstatt des Boucicaut-
Meisters das Thema in ähnlicher Weise in einem Livre d'heures (Paris, Bibliothèque Nationale, ms. latin 10538, fol. 31) dargestellt [21]. Von der vorausgehenden Miniatur unterscheidet
sich diese Darstellung einzig darin, dass der Engel durch eine geöffnete Türe in das über-
wölbte Gemach zu Maria schwebt. Diese Szene ist nun nicht wie im Stundenbuch des Duc de
Berry als einzelne Darstellung wiedergegeben, sondern findet sich auf der gleichen Seite wie
die im grösseren Format wiedergegebene Verkündigung.

In einem anderen, etwas früher, um 1407 in Frankreich fertiggestellten Livre d'heures
(Oxford, Bodleian Library, ms. Douce 144, fol. 19) [22] ist der Nahrung bringende Engel zu
Maria neben das Webgestell herangetreten (Abb. 15). An Gestalt ist der Engel klein und
zierlich und schaut zu Maria empor, die an einer Borte webt. Auf einer Serviette hält er ihr
das Brot und den Krug entgegen. Diese Szene spielt sich vor einem neutralen, kleingemuster-
ten Grunde ab.

Ein anderer, in Frankreich tätig gewesener Miniaturist brachte ein knappes halbes Jahrhundert später, um 1445–1450, in dem Stundenbuch der Isabella Stuart, der zweiten Gemahlin
Franz I., Herzogs von Britannien (Cambridge, Fitzwilliam Museum, ms. 62, fol. 29), sechs
Szenen aus dem Marienleben zur Darstellung [23]. Eingeordnet in ein Blumenrankengefüge,
umgeben diese das im grösseren Format hervorgehobene Verkündigungsbild. Hier findet
sich eine kleine Darstellung (Abb. 16) mit der ein Band webenden Maria in einem geschlossenen, von einer Mauer begrenzten Garten. Mit dieser Gartenmauer mag die Vorstellung
des «Hortus conclusus», des verschlossenen Gartens, angedeutet sein, der in der spätmittelalterlichen Mariensymbolik auch als ein Symbol der Jungfräulichkeit Mariae gilt. Maria
sitzt auf einem Throne unter einem Baldachin hinter ihrer Webvorrichtung. Die eine Hand
vor die Brust haltend, blickt sie demütig nach rechts, von wo der Engel mit dem Brot und der
Kanne vom sternenübersäten Himmel zu ihr herniederschwebt.

Einen Garten, in dem Maria ihre Borte webt, hat aber bereits drei Jahrzehnte früher, zwischen 1410 und 1420, ein französischer Miniaturist für sein französisches Stundenbuch (Florenz, Sammlung Principe Tommaso Corsini) als Ort der Handlung ausgesucht [24]. Maria
webt ihre Borte auf einem von Blumen überwachsenen Rasen (Abb. 17). Zwei kleine schwebende Engel halten hinter ihrem Rücken ein grosses vorhangartiges Tuch, das überstickt ist

21 M. MEISS, French Painting in the Time of Jean de Berry, The Boucicaut Master. New York 1968, S. 127 f.,
   Abb. 129.
22 M. MEISS, French Painting..., a.a.O., S. 106 ff., Abb. 51.
23 M. R. JAMES, A descriptive Catalogue of the Manuscripts in the Fitzwilliam Museum, Cambridge 1895,
   S. 156 ff.
24 M. MEISS, French Painting..., a.a.O., S. 86 f., Abb. 128.

Abb. 15. Werkstatt des Boucicaut-Meisters, Livre d'heures, um 1407.
Oxford, Bodleian Library, ms. Douce 144, fol. 19.

Abb. 16. Livre d'heures der Isabella Stuart, um 1445–1450 (Ausschnitt).
Cambridge, Fitzwilliam Museum, ms. 62, fol. 26.

mit einem aus dem Buchstaben «M» gebildeten Ornament. Während ein Engel, vom Ster-
nenhimmel herniederschwebend, einen Krug und ein Brot darreicht, sitzt ein zweiter Engel
bei Maria im Grase neben einer Haspel und wickelt einen Garnknäuel auf. Auch diese Szene
ist nur als Nebenszene unterhalb des Verkündigungsbildes wiedergegeben.

Das gleiche Motiv wiederholt der Miniaturist, der für Jean de Montauban, Amiral de
France, um die Mitte des 15. Jahrhunderts ein Livre d'heures illuminierte (Paris, Biblio-
thèque Nationale, ms. latin 18026)[25]. Wiederum sitzt ein Engel neben der webenden Maria und
wickelt das Webgarn von einer Haspel auf eine flache Spule (Abb. 18). Auch hier hat der
Miniaturist die Webszene – übrigens wiederum als Teilszene eines Marienzyklus – in einen
Garten, auf eine mit Blumen bewachsene Wiese verlegt. In weiter Ferne erscheinen vier
Engel am Himmel schwebend und betrachten sich das von der Heiligen Jungfrau mit Fleiss
erstellte Bandgewebe. Im Unterschied zur vorangehenden Darstellung hat der Miniaturist
den Nahrung bringenden Engel nicht mit ins Bild einbezogen, sondern diesem ausserhalb
des Bildrahmens in der seitlichen Bildrankenzone seinen Platz angewiesen.

In dem Livre d'heures, das zwischen 1420 und 1430 in Paris für den Herzog John of Bedford
und seine Gemahlin Anna von Burgund von dem sogenannten Meister des Herzogs von Bedford illuminiert wurde (Wien, Österreichische Nationalbibliothek, ms. 1855), findet sich

---

[25] V. Leroquais, Les livres d'heures, manuscrits de la Bibliothèque Nationale, Paris 1927, vol. II, S. 211.

Abb. 17. Boucicaut-Meister, Livre d'heures, um 1410–1420. Florenz,
Sammlung Principe Tommaso Corsini.

ebenfalls auf folio 25 ein ganzer Marienzyklus [26]. Zwölf kleinformatige Bilder umgeben auch hier die grössere Verkündigungsszene (Abb. 19/20). Die Tempeljungfrau Maria arbeitet in ihrem Gemache an einer Bortenweberei, neben einem hohen offenen Kamin sitzend. Hier hat der Miniaturist auf das Überbringen der Nahrung verzichtet und das Hauptgewicht auf die Darstellung der Maria als Weberin in Gegenwart eines kleinen Engels als Gehilfen gelegt. Dieser kauert Maria zur Rechten. Er wickelt das über eine Garnhaspel gespannte Webgarn ab und rollt es in seinen Händen zu einem Knäuel auf.

Eine weitere Variante in der Darstellung der webenden Maria im Garten (Abb. 21) malte der sogenannte Boucicaut-Meister im ersten Viertel des 15. Jahrhunderts in ein französisches Stundenbuch (Paris, Bibliothèque Mazarine, ms. 469, fol. 13) [27]. Von den erwähnten Darstellungen unterscheidet sich diese Szene im wesentlichen nur darin, dass sich über dem Haupte Marias, die auf einer breiten, mit rotem Stoff ausgeschlagenen Bank sitzt, ein halbkreisförmiges blaues Wolkenband erstreckt, aus welchem der Engel zu Maria niederschwebt und einen Krug und auf einem weissen Teller ein Brot reicht. Während vier Engel hinter dem Wolkenband die Arbeit Marias betrachten, wohnen vier weitere Engel stehend dem Tagewerk der Jungfrau bei.

In einem französischen Livre d'heures, das um 1420 entstanden sein dürfte (New York, Pierpont Morgan Library, ms. 453, fol. 24) [28], steht die Szene mit Maria als Bortenweberin im Mittelpunkt der Bildseite (Abb. 22). In der rechtsseitigen, aus Ranken bestehenden Randbordüre befinden sich drei Rundmedaillons mit je einem Engel. Im ersten Medaillon steht der Engel, nach links gerichtet, und reicht mit beiden Händen zwei auf einem Tuche liegende Brote. Im zweiten Medaillon bietet der Engel in zwei Zinnkannen das Getränk an. Im folgenden Medaillon trägt ein dritter Engel ein goldenes pokalartiges Gefäss und ein goldenes flaches Körbchen mit einigen Garnknäueln. Es ist dies die älteste mir bekannte Darstellung, bei der zwei Engel Maria mit Speis und Trank versorgen.

Hier sei nun noch eine etwa achtzig Jahre jüngere Darstellung um 1500 aus dem französischen Kulturbereich erwähnt, die sich in den Überresten der Rückwände eines geschnitzten Chorgestühles aus der königlichen Abtei von Jumièges befindet, das seit 1950 zum Ausstel-

---

[26] H. J. HERMANN, Die westeuropäischen Handschriften und Inkunabeln der Gotik und Renaissance in der Nationalbibliothek Wien, Bd. VII/3, Wien 1938, S. 142 ff., Taf. XLV. – E. TRENKLER, Livre d'heures, Handschrift 1855 der österreichischen Nationalbibliothek, Wien 1948 (mit erschöpfender Literaturangabe).

[27] M. MEISS, French Painting..., a. a. O., S. 113 f., Abb. 263. (Daselbst die gesamte ältere Literatur.)

[28] Laut schriftlicher Mitteilung von JOHN H. PLUMMER wurden die Miniaturen dieses Livre d'heures von Millard Meiss dem bis jetzt noch anonymen «Master of Morgan M. 453» zugeschrieben, der zu den Nachfolgern der Meister von Limburg gehört und im Umkreis des Bedford-Meisters tätig war. Vgl. auch E. PANOFSKY, Gothic and Late Medieval Illuminated Manuscripts (Syllabus of a course given at The Pierpont Morgan Library 1934–1935), New York, 1935, p. 84–85.

Abb. 18. Livre d'heures de Jean de Montauban, um 1450.
Paris, Bibliothèque Nationale, ms. latin 18026, fol. 25.

Abb. 19. Meister des Herzogs von Bedford, Livre d'heures des Duc John of Bedford, um 1420–1430.
Wien, Österreichische Nationalbibliothek, ms. 1855, fol. 25.

Abb. 20. Ausschnitt aus Abb. 19.

Abb. 21. Boucicaut-Meister, Livre d'heures, um 1410–1420 (Ausschnitt).
Paris, Bibliothèque Mazarine, ms. 469, fol. 13. fol. 13.

lungsgut der Cloisters in New York gehört[29]. In der Folge von 28 geschnitzten Bildszenen schildern neun das Leben der Maria und die übrigen das Leben Christi. Die Schnitzerei zeigt ebenfalls zwei Engel, die Maria während ihrer Arbeit aufsuchen (Abb. 23). Rechts im Bilde sitzt Maria, eine Borte webend, und ihr gegenüber stehen die an Grösse ebenbürtigen Engel, die wie Diakone in Dalmatiken gekleidet sind. Der eine überreicht Maria mit beiden Händen eine Kanne, der andere auf einem Tuch einen Laib Brot.

Etwa gleichzeitig wie die Holzschnitzerei in der Abtei von Jumièges ist auf deutschem Boden das ikonographisch verwandte und bereits früher erwähnte Glasgemälde (vgl. Abb. 12) der evangelisch-lutherischen Pfarrkirche von Grossgründlach (Landkreis Fürth, Bayern) nach einem Riss von Hans Baldung Grien entstanden. Wir geben hier die kurze Zeit später entstandene Nachzeichnung des Hans Leu d. J.[30] im Bilde wieder (Abb. 24). Maria

---

[29] Meines Wissens handelt es sich hier um eine Erstveröffentlichung dieser Szene. Über das Chorgestühl von Jumièges siehe J. J. RORIMER, The Cloisters, New York 1963, S. 130 f.

[30] OETTINGER/KNAPPE, Hans Baldung Grien, a. a. O., S. 61, Abb. 91.

Abb. 22. Livre d'heures, um 1420. New York, Pierpont Morgan Library, ms. 453, fol. 24.

Abb. 23. Chorgestühl aus der Abtei von Jumièges,
um 1500 (Ausschnitt). New York, Cloisters.

Abb. 24. Hans Leu d. J., Zeichnung nach Hans Baldung Grien, 1510.
London, British Museum.

sitzt hier, gleich wie in Jumièges, rechts im Bilde vor einem hochgestellten Webrahmen. Gegenüber kniet in Demut ein Engel, mit der Rechten eine auf einem Teller liegende Speise anbietend und in der Linken die Kanne mit reinem Wasser haltend. Diesen begleitet ein weiterer Engel, dessen Funktion nicht sichtbar ist. Ich konnte keine weitere Darstellung aus dem süddeutschen Raume finden, in der ein Engel Maria während ihrer Tätigkeit am Webrahmen Speis und Trank überbringt.

Wie der Schnitzer des Chorgestühles von Jumièges, so liess auch Hans Baldung die Engel, in
Grösse und Gestalt ebenbürtig, zu Maria hintreten.

Wohl die sonderbarste und ikonographisch auch interessanteste Darstellung französischen
Ursprungs mit Maria als Tempeldienerin blieb uns in einem Bildteppich aus der Folge von
17 Teppichen mit Szenen aus dem Marienleben erhalten[31], die Robert Lenoncourt in dem
Jahre, da seine Ernennung zum Erzbischof von Reims erfolgte, in einem Wirkeratelier
in Tournai in Auftrag gab. Die Teppichfolge, mit deren Herstellung im Jahre 1507 begonnen wurde und deren Vollendung sich 1530 vollzog, stiftete Lenoncourt der Kathedrale
von Reims. Der sechste Teppich in der gesamten Folge (Abb. 25), der in Reims die Bezeichnung «Les perfections de Marie» erhalten hat[32], zeigt uns Maria als Bortenweberin im
«Hortus conclusus». In einem Gärtchen, von einer rechteckigen Mauer umgeben, sitzt
Maria als werktätige Frau mit umgebundener Schürze auf einer Bank hinter einer Brettchenweberei. Die Gartenmauer wird von zwei Rundsäulen als Träger der persönlichen Fah-
nen des Stifters flankiert. In symmetrischer Gegenüberstellung halten zwei sitzende Einhörner die Bannerstangen. Diese Stangen gehören mit zur Webvorrichtung, wobei die Kettfäden
von einer Stange zur andern gespannt sind.

Hinter Maria stehen zwei Engel. Derjenige links hält ein Brot, das er mit einer Stola umfasst,
der andere dagegen reicht eine zinnerne Kanne reinen Wassers dar. Ausserhalb der Gartenmauer befinden sich sieben Engel. Sechs davon tragen Alben. Sie entsprechen den sechs
Engeln, die Gottvater bei der Schöpfung halfen, ist diese doch das Werk von sechs Tagen.
Am siebenten Tage hatte sich Gottvater ausgeruht. Der siebente Engel, der nichts tat und
mit Gottvater der Ruhe pflegte, trägt als Engel des Sonntages ein samtenes und mit goldenen
Borten besticktes Pluviale.

Beidseitig des verschlossenen Gartens finden sich eine Reihe marianischer Symbole:

links: ein Stern (STELLA MARIS), die Sonne (ELECTA VT SOL), die Himmelspforte
(PORTA CELI), der Brunnen lebenden Wassers (PVTEVS AQVARVM VIVEN-
TIVM), eine Zeder (CEDRVS EXALTATA), das blühende Reis aus Jesse (VIRGA
JESSE FLORVIT);

rechts: der Mond (PVLCRA VT LVNA), der Turm Davids (TVRRIS DAVID CVM
PROPVGNACVLIS), ein Olivenbaum (OLIVA SPEZIOSA), der Brunnen des Gartens
(FONS HORTORVM), ein Spiegel (SPECVLVM SINE MACVLA); vor dem Garten,
zwischen den beiden Säulen, links eine Lilie (SICVT LILIVM INTER SPINAS) und
rechts eine Rose (PLANTATIO ROSAE); hinter dem Garten die Stadt Gottes (CIVITAS

---

[31] Der gesamte Marienzyklus ist beschrieben bei M. SARTOR, Les Tapisseries, Toiles peintes et Broderies de
Reims, Reims 1912, S. 68 ff., und M. GUY, Présentation des Tapisseries de Reims, Reims 1967, S. 7 ff.

[32] M. SARTOR, Les Tapisseries, a. a. O., S. 82 f., und M. GUY, Présentation des Tapisseries..., a. a. O., S. 17 f.

Abb. 25. Wandteppich, um 1507–1530. Reims, Kathedrale.

DEI). Über dem Ganzen schwebt hinter einem Wolkenband und umgeben von einem Strahlenkranz die Gestalt Gottvaters mit segnender Handgebärde und angetan mit einem kostbaren Mantel, einem Pectorale, einer Krone und in der rechten Hand dem goldenen Apfel des Reiches Christi. Die Enden seines Pluviale werden seitlich von zwei Engeln gehalten. Längs dem Wolkenkranz verläuft ein Spruchband, worauf die Worte des Hohen Liedes (4, 7) geschrieben stehen: «TOTA PVLCRA ES AMICA MEA ET MACVLA NON EST IN TE» – Du bist allerdinge schön, meine Freundin, und ist kein Flecken an Dir.

Die beiden Einhörner als Halter der Fahnenstangen erinnern an die Teppichfolge der «Dame à la licorne» im Musée de Cluny in Paris, insbesondere an den dritten Teppich mit der Allegorie des Geruchs und den sechsten Teppich mit der Devise «A mon seul désir:». Dem Einhorn kommt in den Pariser Teppichen vorwiegend heraldische Bedeutung zu [33]. Zudem ist es auch als Allegorie für «vitesse», gewissermassen als Anagramm für den Familiennamen Le Viste, der Familie des Auftraggebers, zu deuten. Im Reimser Teppich steht das Einhorn, wie auch die marianischen Symbole, in typologischer Gegenüberstellung zu Maria als Sinnbild für deren Jungfräulichkeit [34]. Selbst der «Hortus conclusus» zählt mit zu diesen Symbolen, ist er doch der Ort, in dem sich die mystische Jagd nach dem Einhorn abspielt, das durch die Verfolgung des Erzengels Gabriel seine Zuflucht im Schosse der Maria findet [35].

In den Ecken am unteren Teppichrand steht je ein Prophet, der mit sprichwörtlichen Äusserungen auf das Geschehen im Bilde Bezug nimmt. Links «Operata est consilio manum suarum» und rechts «Multe filie congregaverunt divicas tu supergressa es universas». Die Verse auf dem breiten Schriftband vor der Webszene gereichen zum Lobe der Jungfräulichkeit Marias:

> « Marie, vierge chaste, de mer estoille
> Porte du Ciel, comme soleil élue
> Puits de vive eau, lis de noble value
> Cité de Dieu, clair mirouer non pollué
> Cèdre exalté, distillante fontaine
> En un jardin fermé, est résolue
> De besongner et de si grâce pleine. »

[33] F. SALET und G. SOUCHAL, Le Musée de Cluny, Paris 1972, S. 88 ff., Abb. 50, 51, 53.

[34] Das Einhorn als Symbol der Keuschheit und Jungfräulichkeit Mariens und der Menschwerdung Christi s. Reallexikon zur deutschen Kunstgeschichte, Bd. IV, 1521–1529, und R. R. BEER, Einhorn, Fabelwelt und Wirklichkeit, München 1972, S. 95 ff., 212 ff.

[35] Über die Bedeutung der mystischen Einhornjagd in Verbindung mit dem Hortus Conclusus, vgl. R. L. WYSS, Vier Hortus-Conclusus-Darstellungen..., a. a. O., S. 113 ff., und B. KLESSE, Das Niederzürndorfer Antependium mit der allegorischen Einhornjagd, Unser Porz, Heft 6, 1964, und R. R. BEER, Einhorn..., a. a. O., S. 101 ff., 212 ff.

Abb. 26. Ausschnitt aus Abb. 25.

Ikonographisch gesehen haben wir hier eine Verbindung zweier Bildvorstellungen: die der webenden Tempeljungfrau (Abb. 26) und die der marianischen Sinnbilder, die Jungfräulichkeit Marias und die unbefleckte Empfängnis der Mutter Gottes würdigend. Letztere lässt sich auf ein Stundenbuch des Pariser Verlegers, Holzschneiders und Illustrators Antoine Vérard zurückführen, das 1503 in Paris erschienen ist. Der Zeichner des Reimser Teppichkartons übernahm von der Vérard'schen Vorlage die marianischen Symbole in analoger Aufreihung und stellte in die Bildmitte, anstelle der bei Vérard schwebenden Maria mit dem Gebetsgestus, den Hortus conclusus, den verschlossenen Garten, den Vérard nur als kleines Gartengehege unter den marianischen Symbolen in der unteren Bildhälfte links dargestellt hatte. In den verschlossenen Garten verlegte der Kartonzeichner die Szene mit der webenden Tempeljungfrau und den Speise bringenden Engeln. Seiner eigenen Intuition dürfte die Assistenz der sieben Engel in der nächsten Umgebung des Hortus conclusus entsprechen. Mit dem Hinweis auf die Schöpfung soll der Gedanke, dass Maria in ihrem mystischen Garten in der Geburt der Person Christi eine Neuschöpfung der Welt vorbereitet, zum Ausdruck gebracht werden.

Die einzelnen Motive, die in den erwähnten Stundenbüchern und älteren Darstellungen vereinzelt bildlich wiedergegeben wurden, fanden in dem Reimser Teppich eine ins Monumentale übersetzte bildliche Zusammenfassung[36].

Die Aufzählung von Darstellungen der webenden Maria möchte ich abschliessen mit dem Hinweis auf ein kleines, schmales Miniatürchen (Abb. 27) in einem aus Frankreich stammenden Stundenbuch (Cambridge, Fitzwilliam Library, McClean Collection, ms. 85, fol. 22), das ein reizvoller kurzer Text begleitet, der aber in seiner ganzen Schlichtheit Wesentliches aussagt über die Verehrung der Mutter Gottes zu jener Zeit und über die Gedanken und Empfindungen der Miniaturisten während der Ausmalung solcher Stundenbücher.

> « En besognant en ses tissus
> chantait hymnes tres gracieuses
> ayant toujours le cueur lassé
> et en choses tres fructueuses. »

Die französischen bzw. auch flämisch-niederländischen Darstellungen haben eindeutig gezeigt, dass es sich bei Marias Tätigkeit ausschliesslich um Band- oder Bortenweberei handelte. Während in den deutschen Darstellungen die Borte am hochrechteckigen, senkrecht stehenden Rahmen gewoben wird, scheint man sich in Frankreich für derartige Gewebe mehrheitlich einer horizontalgerichteten Kette ohne Webrahmen bedient zu haben. Die Kette spannte man zwischen zwei senkrechte Pfosten, die meistens auf zwei Füssen standen und unten, gelegentlich auch oben, durch einen Querbalken verstrebt waren. Das Band

---

[36] Die Webszene des Reimser Teppichs dürfte von entscheidendem Einfluss auf den Pariser Glasmaler Robert Pinaigrier gewesen sein, hat er diese doch für seinen, um 1520 ebenfalls monumental gestalteten Glasgemäldezyklus mit Szenen aus dem Marienleben in der Marienkapelle von St-Gervais in Paris übernommen. Ein von rechts hinzugetretener Engel überreicht Maria Speis und Trank. Im Hintergrunde links kniet Maria betend vor dem Altare, analog dem Glasgemälde in Grossgründlach von Hans

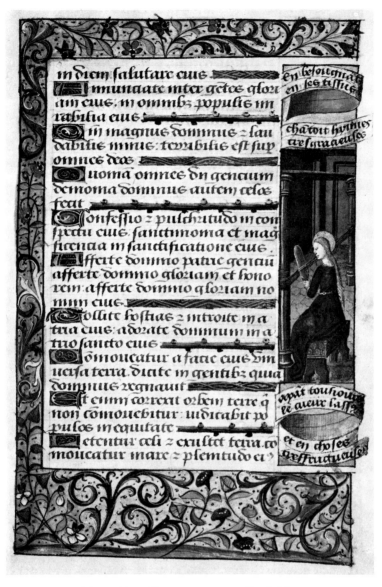

Abb. 27. Livre d'heures, um 1500. Cambridge,
Fitzwilliam Library, McClean Collection, ms. 85, fol. 22.

Baldung Grien. Diese Szene ist hier somit erstmals einer der französischen Bildtradition folgenden Darstellung eingegliedert worden. Da das Glasgemälde 1845 stark restauriert wurde und zahlreiche Ergänzungen erfuhr, wurde in der vorliegenden Arbeit auf eine bildliche Wiedergabe verzichtet. Vgl. J. LA-
FOND, Le vitrail français, La Renaissance, Paris 1958, S. 249.

wurde, vom Standort der webenden Maria aus gesehen, meistens von links nach rechts gewebt. Mit der linken Hand hielt man die Kettfäden, mit der rechten dagegen führte man die Garnspule, um den Einschlag durch das Kettfach zu ziehen. Damit aber die Einschlagfäden einander regelmässig und dicht folgten, bediente man sich des aus Holz geschnitzten und an den Kanten leicht zugeschliffenen Webschwertes und schlug den vorerst noch locker zwischen den Kettfäden liegenden Einschlag zur Festigung des Gewebes an.

Einige Miniaturen (Abb. 15, 17, 20, 21, 22) und schliesslich in darstellerisch einwandfreier Form auch der Marien-Teppich in Reims zeigen die im späten Mittelalter oft gebräuchliche Technik der Brettchenweberei. Diese Webart bedarf allerdings einiger Erläuterungen, ist sie doch hierzulande so gut wie ganz in Vergessenheit geraten [37]. Das Kennzeichen der Brettchenweberei ist die Schnurbildung, wobei im fertigen Gewebe eine Schnur neben der anderen liegt, ohne dass man den Einschlag noch erkennen kann. Als Hilfsgerät werden die sogenannten hölzernen Brettchen gebraucht, die entweder quadratisch oder, wie im Reimser Teppich und einigen Miniaturen deutlich zu sehen ist, sechsseitig zugeschnitten sind. An den Ecken befindet sich jeweils ein Loch. Durch die Brettchenlöcher werden einzeln die vier bzw. sechs Kettfäden gezogen. Die Zahl der Brettchen kann dabei beliebig sein. Im Reimser Teppich sind es z. B. deren neun. Nachdem das eine Ende der Kettfäden an einer Stange befestigt ist, werden die Fäden gespannt und die Brettchen übereinander geordnet. Durch die Spannung der Kettfäden teilen sich diese paarweise nach rechts und links oberhalb und unterhalb der Brettchen. Die entstandene Öffnung ist dann das Webfach, wo der Einschlag oder Schuss eingefügt werden kann (Fig. 2). Ein neues Webfach wird nur durch eine Viertels- oder Sechstelsdrehung der Brettchen erzielt. Infolge der laufenden Drehung bildet sich aus den vier oder sechs Fäden eine Schnur. Die nach der Zahl der Brettchen bemessenen Schnurreihen werden durch die Schussfäden nebeneinander zu einer Fläche gehalten. Je grösser die Zahl der Brettchen ist, desto breiter wird die Borte. Das Drehen der Brettchen veranschaulichen zwei Darstellungen (Abb. 20 und 22), wobei aus der Haltung der einen Hand deutlich hervorgeht, wie Maria die Brettchen anfasst und eine Sechsteldrehung vornimmt.

Werden nun die Brettchen, die paarweise geordnet sind, in verschiedenen Richtungen gedreht, dann weisen die nebeneinanderliegenden Schnüre auch eine entgegengesetzte Drehung auf. Die Farbigkeit der Musterung hängt also nicht vom farbigen Einschlag, sondern von der Mehrfarbigkeit der Kettfäden ab, die dem zu erstellenden Muster entsprechend in bestimmter Reihenfolge durch die Brettchen gezogen werden. Bevor man die Kettfäden in die Brettchen einzieht, werden sie noch durch den Kettenordner gezogen, der nichts anderes

---

[37] Für technische Hinweise und Erläuterungen bin ich Frau M. FLURY-LEMBERG sehr zu Dank verpflichtet. Zur Technik der Brettchenweberei vgl. Reallexikon zur Deutschen Kunstgeschichte, Bd. II, 1137–1149. – K. SCHLABOW, Die Kunst des Brettchenwebens, Neumünster 1957, daselbst die ältere Literatur.

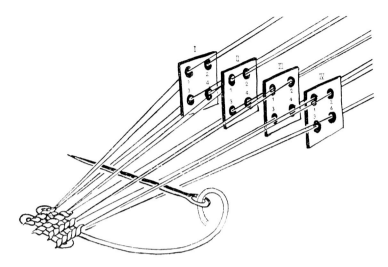

Figur 2 (Text Seite nebenan).

ist als ein durchlöchertes Stäbchen, welches als Breithalter die Drehung der Brettchen erleichtert.

Leider lassen die in den Miniaturen gemalten Borten nicht die Struktur der Brettchenweberei erkennen. Einzig das Strassburger Tafelbild mit der Darstellung des Zweifels Josephs (vgl. Abb. 36), das in der vorliegenden Arbeit allerdings erst im folgenden Kapitel zur Behandlung gelangen wird, gibt die von Maria in Brettchentechnik gewobene schmale Borte in ihrer textilen Struktur etwas deutlicher wieder, wobei sich dies allerdings auch nur vor dem Original selbst genau erkennen lässt.

Eine einfache Vorrichtung für die Bandweberei zeigt die Darstellung aus dem Chorgestühl von Jumièges in den Cloisters in New York (Abb. 23). Die Webvorrichtung besteht aus einem rechteckigen Brett, an dessen einer Schmalseite ein runder Pfosten, an der anderen ein Webgitter montiert sind[38]. Die Kettfäden werden an dem Pfosten festgebunden und dann durch das senkrechtstehende Webgitter gezogen, das seiner Funktion nach eine Art Kettenordner ist. Danach wird die Kette durch die Brettchen gezogen und am Leibgurt der Weberin befestigt. Durch das Zurücklegen des Körpers kann die erforderliche Spannung der Kette reguliert werden. Die linke Hand hält die Kette und die Rechte führt die Spule ein.

---

[38] In der Manessischen Liederhandschrift findet sich bei dem Bild des «Rost kilchherre ze Sarne» ebenfalls eine weitere Darstellung eines Webgitters, das als Kettenordner für eine in der gleichen Art ausgeführte Brettchenweberei dient, R. SILLIB, F. PANZER, A. HASELOFF, Die Manessische Liederhandschrift, Faksimile-Ausgabe, Leipzig 1929, Bd. IV, Fol. 285.

Zusammenfassend lässt sich feststellen, dass es zu diesem Thema mit Maria als Tempeldienerin im 14. und 15. Jahrhundert parallellaufend eine deutsche und eine französische Bildtradition gibt. In der deutschen Überlieferung umgeben Maria des öftern ein bis drei handarbeitende oder lesende Tempeljungfrauen. Gelegentlich trägt Maria auch ein königliches Geschmeide und unterscheidet sich von den anderen Jungfrauen in der Regel durch andersfarbige und vornehmere Kleidung wie auch durch den meistens erhöhten Arbeitsplatz. Sie wird dadurch deutlich im Rang von ihren Gefährtinnen hervorgehoben. Die französische Bildtradition scheint die Jungfrauen, die Maria bei ihrer Arbeit beistehen, nicht zu kennen. Statt dessen aber hat das Motiv des Engels, der Maria mit Speis und Trank versieht, allgemein Aufnahme in die Marienzyklen des 15. Jahrhunderts gefunden.

Das Protoevangelium des Jakobus, Kap. 10[39], berichtet, dass die Priester beschlossen hatten, durch unbefleckte Jungfrauen aus dem Stamme Davids einen Vorhang für den Tempel des Herrn anfertigen zu lassen. Die Diener fanden diese sieben Jungfrauen und brachten sie in den Tempel. Der Priester erinnerte sich auch des Mädchens Maria und liess es ebenfalls in den Tempel führen. Auf Geheiss des Priesters sollte jetzt durch das Los entschieden werden, «wer das Gold, den Amiant, die Baumwolle, die Seide, das Hyazinthenblau, den Scharlach und den echten Purpur verweben woll». Auf Maria fiel das Los «echter Purpur» und «Scharlach». «Und sie nahm es und verfertigte es in ihrem Haus.» Das Protoevangelium des Jakobus berichtet weiter, dass der Priester Zacharias, der Elisabeth zur Frau hatte, stumm geworden ist und dass Samuel so lange an dessen Stelle trat, bis er wieder sprechen konnte. Das Verstummen des Priesters schildert das Evangelium Lukas (1. Kapitel). Zacharias hatte die Vision des Engels Gabriel, der ihm die Geburt Johannes des Täufers verkündete. Da er aber den Worten des Engels nicht Glauben schenken wollte – waren doch er und seine Frau schon reichlich betagt und galt zudem Elisabeth als unfruchtbar –, sollte er erst wieder reden können, wenn Elisabeth schwanger würde. Von dieser Zeit aber berichtet das Protoevangelium des Jakobus: «Maria nahm den Scharlach und spann.»

Die Apokryphen sprechen also von Scharlach und echtem Purpur, den Maria für den Vorhang des Tempels verweben soll. Das gleiche Kapitel erwähnt auch noch das Spinnen des scharlachroten Fadens. In den meisten Darstellungen liess sich aber eindeutig die Bortenweberei erkennen, in einigen französischen Miniaturen das Weben von Bändern, also ein Textil, das fern von der Vorstellung eines Tempelvorhanges steht, aber im Hinblick auf die bevorstehende Geburt Christi eher für ein Wickelband des neugeborenen Christuskindes gebraucht werden könnte. Es liegt hier ein schönes Beispiel dafür vor, wie sich durch ständiges Wiederholen im Verlaufe der Jahrzehnte ein fester Bildtypus entwickelt, ohne dass die ursprüngliche Bedeutung der literarischen Quelle noch Beachtung fände.

---

[39] HENNECKE/SCHNEEMELCHER, Apokryphen..., a.a.O., S. 284.

Einer Textillustration im Sinne der Apokryphen kommt dagegen wesentlich näher die Darstellung in den in Italien im 14. Jahrhundert von Franziskanern geschriebenen und äusserst reichhaltig mit vielen Detailszenen illustrierten «Meditationes Vitae Christi» (Paris, Bibliothèque Nationale, ms. Ital. 115, fol. 7)[40]. Hier ist nun Maria im Kreise von drei Jungfrauen «Maria culle compagne» am Spinnrocken tätig (Abb. 28). Während zwei der Gefährtinnen die gleiche Arbeit verrichten, wobei sie den Rockenstab in der althergebrachten und wohl volkstümlichsten Art unter den linken Arm geklemmt halten, blättert die dritte der Jungfrauen in einem Buch. Eigenartigerweise spielt sich diese Szene nicht im Tempel selbst, sondern ausserhalb, vor den halb geöffneten Türen des Einganges ab.

VERKÜNDIGUNG AN MARIA

a) Maria mit der Spindel

Im Verkündigungsbild[41] der früheren östlichen Kunst, gelegentlich aber auch später noch, ist Maria mit einem Spinnrocken oder der Rohwolle und einer Spindel in der Hand wiedergegeben. Vereinzelt findet man dieses Motiv bis ins 13. Jahrhundert auch in der Kunst des Westens. In einigen Darstellungen hält Maria diese Utensilien nur in der einen Hand, in anderen dagegen sieht man diese im Gebrauch. Auch diese Bildvorstellung geht auf das Protoevangelium des Jakobus (Kap. 11) zurück[42], berichtet doch dieses, wie Maria beim Wasserschöpfen von einer unbekannten Stimme überrascht wurde: «Sei gegrüsst, Du Begnadete unter den Weibern», worauf Maria erbebte und in ihr Haus eilte, den Wasserkrug absetzte, den Purpur nahm, sich hinsetzte und ihn ausspann. Und da stand ein Engel vor ihr und sprach: «Fürchte Dich nicht, Maria, denn Du hast Gnade gefunden vor dem Allmächtigen und wirst aus seinem Munde empfangen.»
Ein eindrückliches Beispiel liefert die Elfenbein-Cathedra des Erzbischofs Maximian aus dem 6. Jahrhundert im erzbischöflichen Museum in Ravenna[43]. Eines der Reliefs an der Rücklehne enthält die Verkündigung, wobei Maria, auf einem Throne sitzend, in einer Hand sowohl einen kleinen Spinnrocken wie auch eine Spindel hält. Als weiteres, allerdings wesentlich jüngeres Beispiel sei noch ein Mosaik um 1143 erwähnt, das um einen Bogen der Mittelkuppel in der Capella Palatina in Palermo herumgeführt ist und das in der Verkündi-

[40] I. RAGUSA und R. B. GREEN, Meditations on the Life of Christ, Princeton (New Jersey) 1961, S. 12, Abb. 6.
[41] W. BRAUNFELS, Die Verkündigung, Düsseldorf 1949.
[42] E. HENNECKE/W. SCHNEEMELCHER, Apokryphen..., a. a. O., S. 284.
[43] G. SCHILLER, Ikonographie der christlichen Kunst, I, Gütersloh 1966, S. 46, Abb. 71.

Abb. 28. Meditationes Vitae Christi, 14. Jahrhundert.
Paris, Bibliothèque Nationale, ms. Ital. 115, fol. 7 v.

gungsszene Maria, vor ihrem Throne stehend, mit Spindel und einem kleinen Rocken wiedergibt[44].

In dem Verkündigungsbild des frühbyzantinischen Apsismosaiks um 540 in der Basilika von Parenzo liegt zu Füssen der sitzenden Maria ein Korb, in welchem ein Wollknäuel liegt, dessen Faden in ihre linke Hand führt[45]. In einem Verkündigungsbild des in Nordfrankreich entstandenen Stuttgarter Psalters aus dem Anfang des 9. Jahrhunderts (Stuttgart, Württembergische Landesbibliothek, Cod. 23, fol. 83) wiederholt sich ein ähnlicher Vorgang, nur dass die Spindel deutlich sichtbar im Schosse der Maria liegt[46]. Beide Darstellungen deuten auf das Spinnen hin.

In dem Verkündigungsbild der Wandmalereien aus dem zweiten Viertel des 12. Jahrhunderts in der Johanneskapelle auf der Pürgg (Abb. 29) im Steiermärkischen Ennstal[47] ist

[44] G. SCHILLER, a. a. O., S. 47, Abb. 97.

[45] G. SCHILLER, a. a. O., S. 46, Abb. 72.

[46] E. TH. DEWALD, The Stuttgart Psalter, Biblia folio 23, Illustrated manuscripts of the middle ages II, Princeton 1930, S. 65, Fol. 83v.

[47] W. FRODL, Die Romanischen Wandgemälde in Pürgg nach der Erstrestaurierung, in Österreichische Zeitschrift für Kunst und Denkmalpflege 1948, S. 147 ff. Vgl. auch Katalog, Romanische Kunst in Österreich, Krems an der Donau 1964, S. 87 ff.

Abb. 29. Verkündigung, Wandgemälde (Ausschnitt), Mitte 12. Jahrhundert. Pürgg (Ennstal).

Maria im Begriffe, eine Spindel abzuspulen. Auf dem Schosse Mariens liegt ein Garnknäuel, auf welchen sie das Garn aufgewickelt hat. Von besonderem Interesse ist die Spindel, die aus einem dünnen Stäbchen besteht, an dessen beiden Enden je ein Knopf das Abgleiten des Fadens verhindert. Schön ist die präzise Darstellung der Hand Marias, die mit Zeigefinger und Daumen die Spindel zur Rotation antreibt.

Im Verkündigungsbild des Evangeliars von 1197 aus dem Speyrer Dom[48] (Karlsruhe, Badische Landesbibliothek, Cod. Bruchsal I, fol 5) hält Maria in der linken Hand die Rohwolle, und mit der rechten bringt sie in einem Körbchen die Spindel zur Drehung, wobei sie den Zeigefinger auf der Spindelspitze hält und die Drehbewegung mit dem Daumen und den drei übrigen Fingern erzielt. Ein gutes halbes Jahrhundert später, um 1254, stellt ein Glasmaler das Thema der Verkündigung der Maria mit der Spindel in dem Wurzel Jesse-Fenster

[48] K. PREISENDANZ und O. HOMBURGER, Das Evangeliar des Speyrer Domes, Leipzig 1931 (Faksimile), Fol. 5.

im spätromanischen Westchor des Regensburger Domes[49] nochmals dar. Maria hält in der linken Hand die ungesponnene Wolle und in der rechten die an dem langen Faden zu Boden gleitende Spindel. Hier handelt es sich nochmals um den Vorgang des Spinnens.

b) Maria am Spinnrocken

Wohl eine der ältesten und schönsten Darstellungen von Verkündigungsszenen, welche die Arbeit Mariens am Spinnrocken zeigt, dürfte das Bronzerelief am linken Türflügel des Westportales der Sophienkathedrale in Nowgorod sein (Abb. 30). Die Tür wurde 1152-1154 in einer Magdeburger Giesshütte für die Kathedrale in Plock an der Weichsel (Polen) gegossen, jedoch in Nowgorod eingesetzt[50]. In diesem Relief sitzt Maria auf einem Throne und greift mit der linken Hand nach den Rohfasern des Spinnrockens, und mit der rechten dreht sie die Spindel. Den Rockenstab selbst hält Maria zwischen den Knien. Diese Art des Spinnens veranschaulicht in vorzüglicher Weise eine Miniatur in den Dialogen Gregors des Grossen aus dem dritten Viertel des 12. Jahrhunderts (Brüssel, Bibliothèque Royale, ms. 9916–17, fol. 22), worauf die Mutter des heiligen Bonifatius den Rockenstab zwischen ihren Knien hält[51]. Dieser Vorgang ist hier deutlicher zu erkennen, da Maria zu Dreivierteln von der Seite gesehen und nicht wie in Nowgorod völlig frontal wiedergegeben ist. Die andere Art, wie der Rockenstab gehalten werden kann, sofern dieser nicht eine Standfläche hat, besteht darin, dass die Spinnerin den Rockenstab unter den linken Arm klemmt (vgl. Abb. 28).

Die zwei folgenden Darstellungen aus dem 14. und beginnenden 16. Jahrhundert stehen mit den vorangehenden nur insofern in einem näheren Zusammenhang, als diese sowohl die Verkündigungsszene wie auch das Motiv der Purpur spinnenden Maria enthalten, jedoch nicht wie jene miteinander zu ein und demselben Bild vereint, sondern räumlich voneinander getrennt. Es handelt sich hier um eine Aufteilung in zwei Vorgänge, die sich nacheinander abspielen. Hierin wäre eine Parallele zu den Darstellungen der Band oder Borten webenden Maria zu sehen, die in französischen Stundenbüchern des öfteren auch nur als Nebenmotive die Hauptbilder der Verkündigung begleiten.

Unter den Wandbildern der Stadtpfarrkirche im steiermärkischen Murau findet sich in dem etwas volkstümlich gemalten Wilthausener Epitaph von 1372 eine Verkündigung an Maria[52] (Abb. 31). Der Verkündigungsengel kniet vor Maria, die neben ihrem Gebetspulte den Gruss des Engels wahrnimmt. Durch eine Fensteröffnung in der Ecke rechts gewährte

---

[49] A. ELSEN, Der Dom zu Regensburg, Berlin 1940, S. 2 ff., Taf. 3.

[50] AD. GOLDSCHMIDT, Die frühmittelalterlichen Bronzetüren, Bd. II, Marburg 1932, S. 11, Abb. 10 b.

[51] Katalog, Rhein und Maas, Kunst und Kultur 800–1400, Köln 1972, Nr. J 20, S. 292, Abb. auf S. 293.

[52] Den Hinweis auf die Murauer Wandgemälde und eine geeignete Aufnahme verdanke ich Frau LALA AUFSBERG in Sonthofen.

Abb. 30. Linker Flügel der Bronzetüre am Westportal
(Ausschnitt), 1152–1154. Nowgorod, Sophienkirche.

der Maler den Blick in ein kleines Gemach, in dem Maria, in ganz frontaler Haltung spinnend, neben ihrem Spinnrocken sitzt.

In dem späteren, aus dem frühen 16. Jahrhundert stammenden Tafelbild (Abb. 32) im Musée Royal des Beaux Arts in Bruxelles, das E. Michel vor kurzem erst dem Maître de la vue de Ste Gudule[53] zugeschrieben hat, wiederholt sich die gleiche Bildauffassung. Durch eine geöffnete Tür in der Rückwand des Gemaches, in dem die Verkündigung an Maria stattfindet, lässt sich deren Schlafgemach erblicken. Neben einem grossen Bett sitzt Maria spinnend auf einem breiten Stuhl mit Rückwand und Seitenwangen. Es ist dies eine der wenigen Darstellungen, die Maria spinnend von hinten zeigt. Maria gegenüber steht ein

[53] E. MICHEL, Le maître de la vue de Ste Gudule au Musée de Bruxelles, Bulletin des Musées Royaux des Beaux-Arts de Belgique, I, 1952, pp. 123–130.

Abb. 31. Wilthausen-Epitaph (Ausschnitt), Wandgemälde, um 1377.
Murau (Steiermark), Stadtpfarrkirche.

ebenso junges Mädchen, das ihr aus einem Buche vorliest. Offenbar mag der Maler noch die
Vorstellung der Tätigkeit Mariens im Kreise ihrer Gefährtinnen gehabt haben, begegneten
wir doch mehrmals in älteren Darstellungen einer Tempeljungfrau mit Buch (vgl. Abb. 3, 8,
28). Es sei bei der Gelegenheit auch unser Augenmerk auf die Nebenszene links im Hintergrund gerichtet. Während Maria in einem kleinen Gemach sich an einem Pult im Schreiben
übt, durchschreitet Joseph, eine grosse Säge auf seinen Schultern tragend, den von einer
hohen Mauer umschlossenen Garten, in dessen Mitte ein hoher Brunnen steht. Es ist der gleiche Brunnentyp mit zwei Wasserbecken, ähnlich der Form, wie ihn Maria in ihrer Stickerei
auf dem spanischen Gemälde des Luis Borrassa darstellte (vgl. Abb. 10) und wie er unter den
marianischen Symbolen, den Sinnbildern für die Jungfräulichkeit Marias als FONS HOR-
TORUM im HORTUS CONCLUSUS des Wandteppichs der Kathedrale von Reims auch
vorhanden ist (vgl. Abb. 25).

Abb. 32. Maître de la Vue de Ste Gudule, Verkündigung, Tafelgemälde, um 1500.
Brüssel, Musées Royaux des Beaux-Arts.

JOSEPHS ZWEIFEL

Maria am Spinnrocken

Die folgenden Darstellungen mit Maria am Spinnrocken entstammen diesmal einer Phase der Marienlegende, die der Verkündigung folgt und die sich ebenfalls auf das Protoevangelium des Jakobus zurückführen lässt. Maria hatte sich nach ihrer Vermählung nach Nazareth begeben, wo sie in ihrem Hause den Purpur spann. Joseph dagegen sah nach seinen Bauten in Bethlehem. Von dort nach Nazareth zurückgekehrt, fand er seine Angetraute gesegneten Leibes. Diesen Moment zeigt uns ein kleines oberdeutsches Tafelgemälde in der Staatlichen Gemäldegalerie Berlin-Dahlem (Abb. 33), dessen Entstehung um 1400 anzusetzen ist[54]. In einer sechsseitig gegliederten Aedikula sitzt Maria frontal dem Bildbetrachter gegenüber. Den Kopf neigt sie leicht dem auf ihrer Sitzbank aufgestellten Spinnrocken zu. Mit der linken Hand zieht sie eine Anzahl Fäden aus dem gekrempelten Rohmaterial an der Unterseite des Rockens und dreht diese mit Daumen und Mittelfinger zusammen. Mit der rechten Hand gibt sie der Spindel, an der der Faden befestigt ist, eine scharfe Drehung, so dass ein Drall entsteht. Inzwischen aber zieht sie weitere Fäden aus dem Rocken heraus und versorgt damit die nun langsam herabgleitende, aber ständig mit der rechten Hand angekurbelte Spindel. Wenn aber die Spindel den Boden erreicht, dann wird der bisher gesponnene Faden aufgewickelt und das Ende in einen kleinen Spalt geklemmt.

Links im Bilde beobachtet Joseph die Maria unter einer rundbogenartigen Öffnung hindurch. Die Bedeutung der Szene liesse sich nicht ohne weiteres erklären, trüge Maria nicht in ihrem Leibe das verheissene Kind, das der Maler in einer Lichtglorie schwebend vor ihrem Mantel darstellte.

In die Entstehungszeit des Berliner Bildes fällt auch die Arbeit Hans Ackers[55] an seinem Marienzyklus für das Marien- und Annenfenster in Ulm (Abb. 34). Auch er zeigt uns die spinnende Maria in Gegenwart Josephs, wobei dieser hier als Schreiner in Erscheinung tritt und mit einem Beil einen Balken zurechtschlägt. Die Haltung Marias entspricht derjenigen des Berliner Bildes. Wie in den Darstellungen der Maria als Tempeldienerin trägt sie hier eine Krone. Auffallend ist die genaue Darstellung des Spinnrockens mit der um-

---

[54] Ehemals Staatliche Museen Berlin, Gemäldegalerie, Inv. Nr. 1874, Nadelholz mit Leinenauflage, Tempera, H. 27 cm. Br. 19 cm. G. SCHILLER, Ikonographie der christlichen Kunst, Bd. I, Gütersloh 1966, S. 68, Abb. 142. Irrtümlicherweise ist bei SCHILLER eine falsche Inventarnummer angegeben. Vgl. auch Katalog: Europäische Kunst um 1400, Wien 1962, Nr. 78, S. 144. Daselbst die ältere Literatur.

[55] Die Aufnahme verdanke ich Frau HELGA SCHMIDT-GLASSNER in Stuttgart.

Abb. 33. Oberdeutsches Tafelgemälde, um 1400. Berlin-Dahlem,
Gemäldegalerie (Staatliche Museen, Preussischer Kulturbesitz).

gebundenen Kordel und die lange Spindel mit dem angehängten Gewicht, dem sogenannten Wirtel, der aus einem steinernen Ring bestand und als Schwungrad diente und
gleichzeitig auch verhinderte, dass das Garn abglitt. Ob dieser Szene auch die Bedeutung
von Josephs Zweifel zukommen soll, lässt sich nicht eindeutig beantworten. Im Ulmer
Marien- und Annenfester befindet sich in der heutigen Reihenfolge diese Szene mit
Maria am Spinnrocken und dem schreinernden Joseph zwischen der Erwählung Josephs

Abb. 34. Marien- und Annenfenster (Ausschnitt),
Werkstatt des Jakob Acker, um 1400. Ulm, Münster.

durch das Stabwunder und der Vermählung Josephs mit Maria durch den Hohen-
priester. Erst dann erfolgt die Verkündigung an Maria, die eigentlich Josephs Zweifel
vorausgehen sollte. Elisabeth von Witzleben hält zwar eine irrtümliche Vertauschung
der Szenen anlässlich einer Restaurierung für möglich. Wäre dies der Fall, dann müsste
auch diese Szene als Josephs Zweifel interpretiert werden.

Das gleiche Thema findet sich nochmals in einem fast gleichzeitig entstandenen Wandgemälde in der kleinen Urbankirche von Unterlimpurg [56] bei Schwäbisch Hall (Abb. 35).

---

[56] L. HARTMANN, Schwäbisch Hall, München 1970, S. 31, Abb. 39. Vgl. auch A. STANGE, Deutsche Malerei
der Gotik, Bd. IV, S. 84, Abb. 128.

Abb. 35. Wandgemälde, um 1400. Unterlimpurg bei Schwäbisch Hall, St.-Urban-Kirche.

Leider sind infolge des schlechten Erhaltungszustandes zahlreiche Einzelheiten nur noch im Original zu erkennen und auf der photographischen Wiedergabe mangels der Farben nur schwerlich sichtbar. Hier übt Maria in der gleichen Haltung wie in dem Berliner Bild, diesmal allerdings in einer offenen, zentralperspektivisch gegliederten Aedikula sitzend, ihre Arbeit am Spinnrocken aus. Auffallend hoch bzw. lang ist der Rockenstab, der vor Maria steht. Die Rückwand sowie die Sitzbank Mariens sind mit einem gemusterten Stoff ausgeschlagen. Zudem dient ein breites Kissen Maria als Sitzpolster. Links, Maria zu Füssen, befindet sich über einem offenen Kästchen mit bunten Garnknäueln eine Garnhaspel und rechts ein anderes, verschlossenes Kästchen. Eine Truhe mit einem offenen Bücherfach bildet eine Abschrankung auf der rechten Seite. Die darauf aufgestellten Gegenstände lassen sich selbst im Original kaum mehr erkennen. Vermutlich dürfte darunter auch ein kleines Lesepult gewesen sein. Links kniet der Stifter, ein Mitglied der in Schwäbisch Hall ansässig gewesenen Familie Schauenburg, wie sich aus dem beigegebenen Wappen zu seinen Füssen schliessen lässt. Auf der gegenüberliegenden rechten Seite kniet Joseph, scheinbar mit einem Buch in der Hand, und blickt durch die durchbrochene Seitenwandöffnung zu Maria hinüber. Des Malers Bestreben ging darauf aus, auch in allen Einzelheiten die Symmetrie einzuhalten, sowohl was die Architektur, die Gebrauchsutensilien und die Personen betrifft.

Über dem Spinngemach befinden sich unter architektonischen Bogenstellungen zwei männliche Figuren, die ich als Propheten deuten möchte. Leider lassen die ihnen zugeteilten Schriftbänder keine zusammenhängenden Texte mehr entziffern, sind doch fragmentarisch nur noch einzelne Buchstaben erhalten.

Hier möchte ich auch auf ein Tafelgemälde aus Németujvar (Ungarn) (Abb. 36) hinweisen, das zwischen 1430 und 1440 entstand und heute zu den Beständen der staatlichen Gemäldesammlung in Budapest gehört[57]. Dieses kleine Bild weist in Komposition und Ikonographie zahlreiche Parallelen zu beiden bereits behandelten und im Süden Deutschlands entstandenen Darstellungen auf, obschon es in beachtlicher Entfernung und sicherlich in völliger Unabhängigkeit von diesen entstanden ist.

Maria hat ihren Platz auf einem massiv gebauten Throne und nimmt bei ihrer Spinnarbeit wie in den vorangehenden Bildern die gleiche Haltung ein. Interessant ist der architektonische Aufbau des Thrones, an dessen hohen Seitenwangen zwei Fenster mit Butzenscheiben eingesetzt und darunter beidseitig noch vertiefte Bücherfächer vorhanden sind. Vermutlich hatte der Maler ein Vorbild, auf welchem sich die Szene in einem Spinngemach mit Fenstern abspielte. Dieses mag dem Berliner und Unterlimpurger Gemälde ähnlich gesehen und hier

[57] Inventar-Nr. 52.657, Öl auf Holz; H. 89 cm, Br. 78 cm. Vgl. Katalog: L'art médiéval en Hongrie de l'an 1000 à 1526, Musée d'Ethnographie de Neuchâtel, 1966, Nr. 10, S. 71 – D. RADOCSAY, Gotische Tafelmalerei in Ungarn, Budapest 1963.

Abb. 36. Tafelbild, um 1430–1440, aus Németujvar. Budapest, Museum der Bildenden Künste.

den Maler zu einer neuen, allerdings missverstandenen Lösung angeregt haben. Auf der Seitenwange rechts kniet ein Engel, der Maria den Rockenstab hält. Der Spinnrocken weist nicht die sonst übliche spitzenhaubenartige Form auf, sondern besteht aus einem aus Rohfasern zusammengebundenen Bündel, das mit einem Tuch umwickelt und mittels eines Strickes an den Stab gebunden wurde. Auf der gegenüberliegenden Seite kniet ebenfalls ein Engel

mit einer kleinen Garnwinde in der rechten Hand und einer Spule in der linken. In der
Ecke unten rechts steht eine Garnhaspel, die in ihrer Form derjenigen auf dem Unterlimpurger Wandgemälde entspricht. An dem Ständer des linksseitigen Lesepultes hängen Wasserkessel und Waschbecken und daneben ein Handtuch. Auf dem Pültchen liegt ein aufgeschlagenes Buch, worin die Worte «Ave Gracia plena dominus tecum» geschrieben stehen. Über
der gesamten Szene schwebt die Taube des Heiligen Geistes.

Nach dem erwähnten Text zu schliessen, handelt es sich hier um einen Moment unmittelbar
nach der Verkündigung. Obschon Joseph selbst in dem Bilde nicht in Erscheinung tritt, mag
dennoch damit das Motiv von Josephs Argwohn oder Zweifel in Verbindung gebracht werden, liegen doch in der Ecke links Josephs Strohhut und dessen aus Holz geschnittener Geh-
stock mit dem abgewinkelten Griff. Es wäre nicht ausgeschlossen, dass auf einem linken Seitenflügel noch die Gestalt Josephs vorhanden war und auf dem anderen Flügel rechts auch
ein Stifterbild gewesen sein könnte [58].

Wenn auch vom Bildtypus der Maria am Spinnrocken völlig verschieden, so muss hier doch
vom Thema her ein Strassburger Tafelbild (Abb. 37) aus der Zeit um 1420, das unter der Bezeichnung «Josephs Zweifel» bekannt ist, erwähnt werden. Es gilt heute als ein Werk des
oberrheinischen Meisters des Frankfurter Paradiesgärtleins und dürfte nach der Vermutung
von Hans Haug mit einer anderen noch erhaltenen Tafel, die Erziehung Mariens darstellend, von einem grossen Marienaltar aus dem Strassburger Münster stammen [59]. Seit 1949
haben diese beiden Gemälde als Leihgaben des Sankt Marx-Spitals ihren ständigen Platz im
Musée de l'œuvre Notre-Dame in Strassburg.

Maria sitzt, mit einer Handarbeit beschäftigt, in einer guteingerichteten bürgerlichen
Stube. Sie trägt ein blaues Kleid und darüber einen weissen Mantel. Dieses Kleidungsstück
erinnert uns unwillkürlich an das in der gleichen Farbe gehaltene Gewand in dem etwas jün-
geren Kölner Tafelbild aus der Sammlung Wilhelm in Bottmingen. Hinter Maria befindet
sich ein Gebetspult mit einem Bücherfach und einem kleinen Schrein. Zu ihrer Linken steht
eine Truhe, worauf sich eine geöffnete ovalförmige Spanschachtel mit Garnknäueln, daneben eine weitere verschlossene Kassette und weiter hinten ein rundes Sockelchen als Träger
eines kleinen Webekammes befinden. Eine weitere Holzschachtel, mit verschiedenen Gar-
nen angefüllt, liegt im Vordergrund links zu Füssen der Maria. Im Hintergrund lässt sich
noch eine Ruhestätte mit einem dunkelbraunen Kissen erkennen. Die Rückwand gliedern
drei Rundbogenfenster, daneben hängt ein über eine Rolle geschlagenes Handtuch und in

---

[58] Frau Dr. SUSANNA URBACH verdanke ich die schriftliche Mitteilung, dass auch im Musée des Beaux-Arts
in Budapest dieses Gemälde mit Josephs Zweifel in Verbindung gebracht wird. Leider liess sich über die
ursprüngliche Form und das eventuell vorhanden gewesene Bildprogramm nichts in Erfahrung bringen.

[59] Inventar-Nr. 1482, Tannenholz, Tempera, H. 114 cm, Br. 114 cm. H. HAUG, L'Art en Alsace, B. ARTHAUD
1962, S. 89, 91, 152, Farbtafel II.

Abb. 42. Meister Bertram, Buxtehuder Altar, Rechter Flügel (Ausschnitt),
Ende 14. Jahrhundert. Hamburg, Kunsthalle.

Form, konnte ich doch die gleiche Art von Spulenbrett auch bei einem kleinen sienesischen
Flügelaltar aus der ersten Hälfte des 14. Jahrhunderts in der Johnson-Collection im Philadelphia Museum of Art finden[66].

Form und Bedeutung der Strickerei Mariens lassen sich besser verstehen, wenn wir ein deutsches Gemälde, den «Besuch der Engel bei Maria», aus dem rechten Seitenflügel des Buxte-

[66] John G. Johnson Collection, Catalogue of Italian Paintings, Philadelphia, Pa., 1966, Nr. 153, Abb. S. 93.

huder Altares von Meister Bertram in der Kunsthalle in Hamburg[67] näher betrachten (Abb. 42). Die Entstehung dieses dreiteiligen Flügelaltares fällt in die Zeit kurz vor 1400. Vermutlich stand dieser Altar, der sechzehn Darstellungen aus dem Marienleben und der Jugendzeit Christi enthält, einst in einem Frauenkloster.

Zwei Engel mit den Marterwerkzeugen Christi, der eine mit dem Kreuz und den drei Nägeln, der andere mit Lanze und Dornenkrone, besuchen Maria, die rechts in einer dreiseitig geschlossenen Aedicula sitzend strickt. Zwischen den Engeln und Maria liegt das Christuskind im Grase, den Kopf in die Hand des aufgestützten linken Armes gelegt und mit der andern Hand in einem aufgeschlagenen Buche blätternd. Neben dem Kinde liegt ein Spielzeug, ein Kreisel und eine zu dessen Antrieb notwendige Geissel. Maria strickt mit vier hölzernen Nadeln und purpurnem Garn ein Gewand, das in seiner Form einem Kinderkleidchen gleichsieht. Es ist der Leibrock Christi, der «ungenäht» war und «von oben an gewirkt durch und durch» und der mit dem Kinde wuchs und schliesslich von Kriegsknechten unter dem Kreuze von Golgatha mit Würfeln ausgelost wurde (Johannes 19, 23). Mit dieser Darstellung mag ein Hinweis auf den Kreuzestod Christi gegeben sein. Hierauf deuten nicht nur die Marterwerkzeuge Christi, sondern auch die Geissel und schliesslich auch der purpurfarbene Rock des Kindes. Bei letzterem dürfte durch die Farbe eine Anspielung auf den purpurnen Rock gemeint sein, den die Kriegsknechte Christus umlegten, als man ihn als den König der Juden verspottete. Wahrscheinlich geht diese Szene auf die Visionen der hl. Birgitta von Schweden zurück, die zwar erst später weiterverbreitet wurden, aber in der Werkstatt des Meisters Bertram gut bekannt gewesen sein konnten[68].

Auf der Sitzbank neben Maria findet sich ein aus Stroh geflochtenes Körbchen mit zwei Garnknäueln, die beide in dem Rock verarbeitet werden. Der Rock ist schon recht weit gediehen, so dass Maria mit zwei verschiedenfarbigen Wollgarnen am Halsausschnitt stricken kann. Maria gebraucht hier die Technik mit dem endlosen Faden, wobei die neue Masche aus dem der letzten vorangehenden Masche zunächst folgenden Fadenstück gebildet wird[69]. Dieses Fadenstück lässt sich mittels einer glatten Nadel in Form einer kleinen Fadenkurve aus den Maschen der vorangehenden Arbeitsreihe ziehen. Da zur Maschenbildung nur ein relativ kurzes Fadenteil durch eine frühere Masche gezogen wird, ohne dass der ganze Arbeitsfaden nachgezogen werden muss, kann man zum Stricken einen beliebig langen, theoretisch endlosen Faden benützen, so dass stets eine Masche aus der andern hervorschlüpft.

---

[67] H. Platte, Meister Bertram in der Hamburger Kunsthalle, S. 11 ff., Abb. 40. Daselbst die ältere Literatur.

[68] H. Platte, Meister Bertram ..., a.a.O., S. 12. Vgl. auch C.R.A.F. Ugglas, Ett birgittinskt inslag i en Bertram Komposition?, Fornvännen 1930, S. 49 ff.

[69] Reallexikon zur Deutschen Kunstgeschichte, V. Sp. 323 f.

Abb. 43. Veit Stoss, Kupferstich um 1480. München, Staatliche Graphische Sammlung.

Mit der Herstellung des Rockes Christi befasste sich auch der Nürnberger Bildhauer Veit
Stoss und wählte für seinen Kupferstich[70], den er um 1480 entwarf, analog dem wesent-
lich älteren Ambrogio Lorenzettis, das Motiv der Heiligen Familie (Abb.43). Während
Maria, in einem mit Rippen überwölbten Gemache sitzend, am Rocke Christi arbeitet,
spielt der nackte Christusknabe am Boden mit dem in tiefen Falten gelegten Mantel seiner
Mutter. Maria hat das Gewand Christi, das sie über ein senkrecht stehendes, kreuzförmiges
Holzgestell gestülpt hat, schon fast vollendet. Sie begann ihre Arbeit am Halsausschnitt mit
dem oberen Teil des Rockes und verlängert diesen nun nach unten. Also gerade im entgegen-
gesetzten Sinne, als dies im Buxtehuder Altar der Fall war. Maria wendet hier die Technik
mit dem endlichen Faden an, indem sie ein begrenztes Stück Garn um eine Holznadel wik-
kelt und mit der Nadelspitze den Faden bzw. das Garn durch die Schlaufen oder Schlingen
der letzten Reihe zieht und somit wieder eine neue Reihe von Schlaufen bildet, bis der Rock
die gewünschte Länge hat[71].

Eine rechtsseitige Maueröffnung gewährt den Blick in einen von einer Zinnenmauer umfass-
ten Hof, in welchem Joseph mit einem grossen Zweihandbohrer einige Löcher in einen Balken bohrt. Es drängt sich hier die Frage auf, wieweit auch die Tätigkeit Josephs, die ja in Gegenwart der Herstellung des Rockes Christi erfolgt, um den später einmal Kriegsknechte im
Würfelspiel losen werden, auch als ein Hinweis auf den Kreuzestod zu deuten ist? Wir möch-
ten diesen Gedanken nicht ganz ablehnen, zählt doch auch der Bohrer zu den Werkzeugen,
die zur Vorbereitung der Kreuzigung dienten, wobei ich auf den Wittenberger Marienaltar
von 1496 – ein Jugendwerk Albrecht Dürers (Dresden, Staatliche Kunstsammlungen) –
hinweisen möchte[72], der einen Henker wiedergibt, der bei der Kreuzanheftung mit einem
gleichen zweiarmigen Bohrer ein Loch in den Kreuzbalken bohrt.

Die Idee der Entstehung des Rockes Christi, worauf in den beiden italienischen Gemälden
nur andeutungsweise hingewiesen wird, sowohl durch das Stricken Mariens mit vier Nadeln
und die purpurne Farbe des Strickgarns bei Lorenzetti als auch bei Vitale da Bologna durch
die äusserst dürftige Kleidung des Kindes, findet eine glaubhafte Vorstellung und konkrete
Form in den beiden späteren Darstellungen der Meister Bertram und Veit Stoss, wobei in der
Kette der vier chronologisch behandelten Darstellungen eines das andere ergänzt.

Den fertiggestellten Rock zeigt der Zeichner der Sankt Galler Historienbibel (Vadiana, ms.
343d, fol.53) bei seiner Darstellung «Also maria Ihrem sun ein Rocke machte» (Abb.44).

---

[70] E. Lutze, Veit Stoss, München/Berlin 1952, S. 28.
[71] Reallexikon..., a.a.O., V, S.323 f.
[72] F. Anzelewsky, Albrecht Dürer, Berlin 1971, S.127 ff., Kat. Nr.25, Abb.34. Vgl. auch Dürers gros-
    ser Kalvarienberg 1505, Feder- und Pinselzeichnung, Uffizien, Florenz. Albrecht Dürer, Das gesamte
    graphische Werk, 1471–1528, Handzeichnungen, München 1971, Abb.361.

Abb. 44. Historienbibel. St. Gallen,
Bibliothek Vadiana, ms. 343 d, fol. 53.

Während Maria sitzend über ihren Knien den vollendeten Rock ausgebreitet hält, spielt –
wie auch bei Veit Stoss – das völlig unbekleidete Christuskind nebenan am Boden [73].
Während Maria in den vier ersterwähnten Darstellungen den Rock Christi als Strickarbeit
ausführte, weil dadurch die Nähte vermieden werden konnten – biblischen Aussagen zu-
folge musste ja dieses Kleidungsstück ohne Naht sein –, berichten Text und eine Miniatur in
den «Meditationes Vitae Christi» (Paris, Bibliothèque Nationale, ms. Ital. 115, fol. 43), wie
Maria während ihres siebenjährigen Aufenthaltes in Ägypten dieses Gewand aus zwei Stoff-

---

[73] E. LANDOLT-WEGENER, Darstellungen der Kindheitslegenden Christi in Historienbibeln aus der Werkstatt Diebolt Laubers. Zeitschrift für Schweizerische Archäologie und Kunstgeschichte, Bd. 23, 1963/64,
S. 219, Tafel 54.

teilen zusammennähte[74]. Zwei Gefährtinnen stehen ihr bei, die eine spinnend, die andere mit einer grossen Schere aus einem Tuch die verschiedenen Teile für die Bekleidung Christi schneidend.

Anschliessend seien noch einige Darstellungen erwähnt, die uns die Heilige Familie bei ihrer täglichen Arbeit zeigen, wobei sich die handarbeitende Tätigkeit der Maria nicht nur auf die Herstellung des Gewandes Christi beschränkt. Die Künstler nördlich der Alpen haben Maria eine Beschäftigung sowohl am Spinnrocken wie auch bei der Borten- oder Bandweberei und sogar am Stickrahmen eingeräumt.

Albrecht Dürer hat das Motiv der spinnenden Maria für die Darstellung des Themas «Die Ruhe auf der Flucht» in seiner Holzschnittfolge des Marienlebens[75] gewählt (Abb. 45). Die Szene hat er ins Freie vor eine Häuserfront verlegt. Maria, in eine ausgesprochen bürgerliche Frauentracht ihrer Zeit gekleidet, sitzt auf einem Stuhl neben der Wiege, worin das gewickelte Christuskind liegt, umringt von drei grossen Engeln, die ihr beim Spinnen zuschauen. Nach Beissel soll es sich um Michael, Raphael und Gabriel handeln[76]. An ihrer linken Seite steht der Spinnrocken, gehalten von einem kleinen Putto. Mit der Linken zupft sie die Flachsfaser aus dem Spinnrocken, und mit den Fingern der rechten Hand dreht sie die Spindel. Joseph arbeitet hinter ihrem Rücken und schlägt mit einer grossen Axt Späne aus einem hölzernen Türrahmen, die kleine Putten eifrig in einem geflochtenen Weidenkorb einsammeln. Über dem Ganzen schwebt am Himmel Gottvater und die Taube des Heiligen Geistes.

Am Spinnrocken beschäftigt ist Maria auch in einer Miniatur der «Vita Christi» des Ludolph von Sachsen (Bruxelles, Bibliothèque Royale, ms. IV 106, fol. 49 v), die der Niederländer Loyset Liédet 1461 für Philipp den Guten, Herzog von Burgund[77], in seiner für ihn so typischen erzählerischen Art malte (Abb. 46). Maria spinnt in einer mit Stroh überdachten Hütte vor einem offenen Kamin, in welchem über brennendem Feuer ein Wasserkessel hängt, und hält dabei den Rockenstab unter den linken Arm gepresst. Indessen zersägen Joseph und das kleine Christuskind im gleichen Raume einen über einen Sägebock gelegten Holzbalken. Rechts findet sich angrenzend eine Szene mit dem zwölfjährigen Christus im Tempel.

Eine ähnliche, ausgesprochen bürgerlich-familiäre Auffassung spricht aus einer Miniatur in dem im ausgehenden 15. Jahrhundert in Utrecht für Katharina von Cleve gemalten Stundenbuch (New York, Pierpont Morgan Library, ms. 917, fol. 149)[78]. Die Szene spielt sich in

[74] I. RAGUSA und R. B. GREEN, Meditations, ..., a. a. O., S. 75, Abb. 63.

[75] Albrecht Dürer, Das gesamte graphische Werk 1471–1528, Druckgraphik, München 1971, Abb. 1578.

[76] S. BEISSEL, S. J., Geschichte der Verehrung Marias in Deutschland während des Mittelalters, Freiburg i. Br. 1909, S. 630.

[77] La Librairie de Philippe le Bon, Catalogue d'Exposition, Bruxelles 1967, Nr. 64, Pl. IV.

[78] M. J. DELAISSÉ, A Century of Dutch Manuscript Illumination, Los Angeles 1968, S. 85, Abb. 158.

Abb. 45. Albrecht Dürer, aus dem Marienleben, Holzschnitt, 1501/02.

Abb. 46. Loyset Liédet, Vita Christi, 1461.
Brüssel, Bibliothèque Royale, ms. IV 106, fol. 49 v.

einer kleinen holländischen Bürgerstube ab (Abb. 47). Links sitzt Maria neben einem kleinen, niedrigen Fenster hinter dem Gestell für ein Bandgewebe, das in seiner Art denjenigen
der früher besprochenen Livres d'heures entspricht. Maria hält in der rechten Hand das hölzerne Webschwert und greift mit der Linken in das Kettfach. Während Joseph im rechtsseitigen und etwas vertieften Teile des kleinen Raumes schreinert, müht sich das Christuskind in einem rollbaren Laufgitter in seinen ersten Gehversuchen.
Die letzte Darstellung entstammt einer 1591 datierten Leinenstickerei[79] im Rosgarten-
Museum in Konstanz (Abb. 48). Die Stickerei selbst besteht aus einem 2,48 cm langen Streifen, der die Angehörigen der Heiligen Sippe wiedergibt. Zwischen zwei Säulen und unter

---

[79] V. TRUDEL, Schweizerische Leinenstickerei, Bd. II, Bern 1954, Nr. 129, S. 110. Vgl. auch M. SCHUETTE
und S. MÜLLER-CHRISTENSEN, Das Stickereiwerk, Tübingen 1963, Nr. 350, S. 48 f.

Abb. 47. Livre d'heures der Katharina von Cleve,
Utrecht, um 1440. New York, Pierpont Morgan
Library, ms. 917, fol. 149.

einer in die Breite gezogenen Bogenstellung befindet sich die Heilige Familie. Maria, die
Kleidung einer Bürgersfrau tragend, sitzt auf einem Stuhl und hält in ihrem Schosse
einen Stickrahmen, den auf der anderen Seite zwei hohe Füsse stützen. Auch hier lässt sich
ersehen, dass die zu bestickende Unterlage mittels einer dünnen Kordel in Zickzacklinien in den Rahmen gespannt wurde (vgl. Abb. 9). Die Hände Marias liegen auf der Stickerei,
wobei sie in der Linken die Sticknadel hält. Offenbar hat sie mit der Rechten die Nadel
durch das Grundgewebe gestossen und zieht nun mit der Linken noch den Faden nach.
Maria gegenüber steht Joseph in einfacher Handwerkerskleidung und richtet seinen Blick
auf das Christuskind, das, auf einem Kinderstühlchen sitzend, von einer Haspel das Garn auf
einen Knäuel wickelt. Es wiederholt sich hier der gleiche Vorgang, den die Miniaturisten der
französischen Stundenbücher durch den kleinen, am Boden sitzenden Engel ausführen liessen. Neben Maria steht ein Korb mit verschiedenen Knäueln farbigen Stickgarns.
In den Darstellungen des Marienlebens, die zeitlich der Verkündigung vorausgingen, bestand die häusliche Tätigkeit der Maria, im besonderen als Tempeldienerin, zur Hauptsache in der Borten- oder Bandweberei. Einige wenige Ausnahmen nur liessen sich finden, wie
z.B. die beiden Tafelgemälde in den Sammlungen Wilhelm und Abegg oder der Kupferstich
des Israel van Meckenem. In den Verkündigungsbildern begegneten wir der Heiligen Jungfrau beim Abspulen einer Spindel oder bei der Arbeit am Spinnrocken. In den zeitlich dar-

Abb. 48. Leinenstickerei (Ausschnitt), 1591. Konstanz, Rosgartenmuseum.

auffolgenden Szenen, die den Argwohn Josephs zum Thema hatten, war Maria mit dem
Spinnen des Purpurs für den Tempelvorhang beschäftigt. Einzig der Maler des Strassburger
Tafelbildes wich von der Bildtradition ab und liess Maria eine mit Brettchen gewobene Borte
vernähen. Bei den Darstellungen der Heiligen Familie tritt die Fürsorge der Mutter in den
Vordergrund, was erstmals durch das Stricken des Kleides für das Christuskind eine bildliche Form erlangte. Dass bei diesem Bildtyp auch die anderen textilen Techniken wie das
Garnspinnen, das Weben von Bändern und Borten, das Nähen von Kleidungsstücken und
auch das Sticken von Tüchern berücksichtigt wurden, versteht sich eigentlich von selbst, be-
dingt doch ein Familienleben den Bedarf an verschiedenartigsten Textilien.

Unzählige Maler haben ihre tief empfundene Verehrung für Maria in anmutigen und an
originellen Einfällen nicht mangelnden Bildern aus dem Marienleben zum Ausdruck gebracht, wobei sie die häuslichen Pflichten und Arbeiten der Frauen sowohl adligen wie bürgerlichen Standes in das Leben der Maria projizierten. Aber nicht nur die bildenden Künstler waren es, die das Marienleben verherrlichten, auch zahlreiche Dichter haben die Heilige

Jungfrau und ihre Taten in frommen Liedern und Hymnen besungen und gepriesen. Des öftern sogar dienten solche Dichtungen auch den bildenden Künstlern als literarische Quellen[80]. Somit möchte ich meine Ausführungen mit einigen Versen aus der Dichtung «Von Gottes Zukunft» beenden, die der Wiener Arzt Heinrich von Neustadt im 14. Jahrhundert schrieb und die in Worten diejenigen Gedanken wiedergeben, die wir in den Bildern der Heiligen Familie in bildlicher Form vorfanden.

Du hiessest dir schneiden ein kostbares Kleid[81]
mit dem deine lichte Gottheit
behütet und bedecket ward.
Es wob ein Weberinne zart,
Maria und der Glanz ihrer Keuschheit. Es ward
Gewebt ohn allen Riss[82]
Den Zettel[83] spann Maria da,
Den Einschlag brachte der lichte Engel
Von des Meisters Mund,
der Weben wohl verstund.
Der Zettel war der Zunder,
das göttliche Wunder,
Gott das Wort des Engels Mund,
davon alsbald ward entzündet,
das vor Flecken behütet war,
dein Seel, dein Leib, du reines Blut.
Das war der Zettel, den sie hineingab.
Die Reine in ihrer Keuschheit wob
ihn mit der Nadel[84] in den Rahmen.

---

[80] Vgl. R. FLURY-VON BÜLTZINGSLÖWEN, Maria mit Handarbeiten, a.a.O., S.6.
[81] Die Übertragung des Originaltextes in die vorliegende Version verdanke ich Herrn Prof. Dr. WERNER KOHLSCHMITT, Ferenberg. Der Text ist dem Buche: H. VON NEUSTADT, Gottes Zukunft und Visio Philiberti nach der Heidelberger Handschrift, hrsg. von S. Singer, S. 361 f., Vers 2030–2049, Berlin 1906, entnommen. Vgl. auch A. SALZER, Die Sinnbilder und Beiworte Mariens in der deutschen Literatur und lat. Hymnenpoesie des Mittelalters, Linz 1893, S.87.
[82] Riss = Bruch.
[83] Zettel = Kette.
[84] Nadel = Handgerät des Webens.

HERKUNFT DER ABBILDUNGEN

Photo Mas, Barcelona: Abb. 10 – Staatliche Museen Preussischer Kulturbesitz, Gemäldegalerie, Berlin-Dahlem: Abb. 33 – Historisches Museum, Bern: Abb. 8, 9, 10, 40, 45 – Städtisches Museum Braunschweig: Abb. 6, 7 – Bibliothèque Royale, Brüssel: Abb. 46 – Musées Royaux des Beaux Arts, Brüssel: Abb. 32 – Museum der Bildenden Künste, Budapest: Abb. 36 – Fitzwilliam Museum, Cambridge: Abb. 16, 27 – Kunsthalle, Hamburg: Abb. 42 – Rosgartenmuseum Konstanz: Abb. 48 – British Museum, London: Abb. 24 – Museo Poldi Pezzoli, Mailand: Abb. 41 – Bildarchiv Photo, Marburg: Abb. 30 – Staatliche Graphische Sammlung, München: Abb. 43 – Frau Elisabeth v. Witzleben, München-Gmunden: Abb. 4 – The Metropolitan Museum of Art, New York: Abb. 23 – Pierpont Morgan Library, New York: Abb. 22, 47 – Germanisches Nationalmuseum, Nürnberg: Abb. 38 – Bodleian Library, Oxford: Abb. 15 – Archives Photographiques, Paris: Abb. 25, 26 – Bibliothèque Mazarine, Paris: Abb. 21 – Bibliothèque Nationale, Paris: Abb. 14, 18, 28 – Frau Lala Aufsberg, Sonthofen im Allgäu: Abb. 31 – Bibliothek Vadiana, St. Gallen: Abb. 44 – Musées de la Ville de Strasbourg: Abb. 37 – Landesbildstelle Württemberg, Stuttgart: Abb. 1, 2, 5, 34, 39 – Frau Helga Schmidt-Glassner, Stuttgart: Abb. 35 – Bildarchiv der österreichischen Nationalbibliothek, Wien: Abb. 19, 20. – Österreichisches Museum für angewandte Kunst, Wien: Abb. 3 – Graphische Sammlung ETH, Zürich: Abb. 13 – Nach Millard Meiss, French Painting in the time of Jean de Berry: Abb. 17 – Nach Farbtafel aus K. Oettinger/K. A. Knappe, Hans Baldung Grien: Abb. 12

EIN MINIATUR-ALTÄRCHEN DES FRÜHEN
15. JAHRHUNDERTS

VON HERMANN FILLITZ

Die Liebe zum Textil verband sich im Sammler Werner Abegg immer mit einem besonderen Interesse für das Kunstgewerbliche, mit einer Neigung zu oft ausgefalleneren Werken, die Überraschung bringen, nicht selten auch der Kunstgeschichte Probleme aufgeben, die keine rasche Antwort ermöglichen.

Das gilt auch für ein kleines Objekt, in einer Fensternische des neu eingerichteten Textilsaales der Abegg-Stiftung hängend. Es wurde in der Form einer Kusstafel erworben bzw. richtiger als Rahmen dafür, da ja das Bild selbst – was immer es gewesen sein mag – fehlt. Es ist also ein Fragment, das die Phantasie anregt und manche Frage stellt. Mit Sicherheit lässt sich zunächst ja nur sagen, dass es in irgendeiner Weise für kultische Zwecke bestimmt war (Abb. 1).

Das Material des zierlichen Werkes ist vergoldetes Silber; mit einer Nachvergoldung ist zumindest teilweise zu rechnen. Seine Höhe beträgt 14,4 cm, seine Breite 8,1 cm. Die kleinen Wappenschilde sind teilweise emailliert. Einer der beiden ist deutbar: Der silberne Schild mit schwarzem Kreuz ist das Wappen des Deutschen Ordens. Zu vergleichen wäre diese einfache Form des Ordenswappens noch mit der Schwerterkette in der Ordens-Schatzkammer in Wien[1]. Das Gerät wurde demnach für ein Mitglied dieses kirchlichen Ritter-Ordens geschaffen, der vor Akkon als eine Gemeinschaft von Spitalsbrüdern gegründet worden war, zunächst zur Pflege kranker und verwundeter deutscher Kreuzfahrer, da diesen im Gegensatz zu denen anderer Nationen bis dahin noch kein eigenes Spital im Heiligen Land zur Verfügung gestanden war. In der Zeit, da das kleine Kunstwerk entstand, also im ersten Drittel des 15.Jahrhunderts, hatte der Orden noch weit im Abendland Besitzungen unterhalten, Spitäler und Kirchen, natürlich mit dem Schwerpunkt im Bereich des Heiligen Römischen Reiches. Der Wappenschild des Ritters war mir zu deuten bisher noch nicht möglich: ein gespaltener und geteilter Schild, dessen vier Felder abwechselnd eine rote Lilie auf silbernem Grund und eine silberne Lilie auf rotem Grund zeigen.

---

[1] HERMANN FILLITZ, Katalog der Schatzkammer des Deutschen Ordens, Wien 1971, Abb. Umschlag.

Noch heute ist ein respektabler Bestand an Werken aus dem Besitz des alten Ordens erhalten, der Grossteil davon in seiner Schatzkammer am Sitz des Hochmeisters in Wien, an den nach dem Tode eines Ritters in der Regel dessen Besitztum abzuliefern war. Neben zwei Messkelchen und einem Reisealtärchen dort zählt dieses kleine Werk zweifelsohne zu den ältesten Edelmetallarbeiten, die aus dem Besitz des Ordens bekannt sind.

Was war es aber, und wofür diente es? Denn, so komplett es zunächst aussieht, sehr bald lassen sich doch neben Ergänzungen, wie sie bei an sich empfindsamen Werken, die lange in praktischem Gebrauch standen, regelmässig zu finden sind, auch Veränderungen feststellen, die offenbar aus dem Bemühen zu erklären sind, das Fragment zu einer neuen Einheit zusammenzufügen.

An späteren Ergänzungen sind zu bemerken: die beiden Blattbekrönungen der Konsolen des Zinnenkranzes zwischen der in der Mitte stehenden Madonna und den nach aussen gerückten weiblichen Heiligen, vielleicht auch die Kreuzblumen der beiden höchsten Türmchen, und die grossen Blumen in der linken Hand der hl. Dorothea (rechts aussen am oberen Zinnenkranz); im ganzen also nur wenige jüngere Teile; mit aller Vorsicht wäre anhand der beiden Blattbekrönungen an eine Datierung dieser Ergänzungen in das späte 16. Jahrhundert zu denken.

Daneben sind aber zwei Teile festzustellen, die wahrscheinlich noch jünger sind, zumindest was ihre heutige isolierte Form betrifft: die unten abschliessende Konsolleiste, die an die beiden seitlichen Türmchen angelötet ist, und die viereckige Konsole in der Mitte unter dem kreuztragenden Christus. Die untere Konsolleiste bildet einen neuen Abschluss für das Werk, das so als Rahmen eines fehlenden Mittelstücks erscheint. An sich ist die Proportion des reichen Aufsatzes – er war wohl höher als heute, da die beiden seitlich begrenzten Fialen unten gekürzt sind – und der schlichten unteren Konsolleiste auffallend. Ursprünglich war eben der Aufbau der Miniaturarchitektur ein anderer, und auch die Anordnung der Figürchen war anders:

Die seitlichen Türmchen, in deren Nischen die heiligen Christophorus und Georg stehen, waren in der originalen Zusammensetzung höher angeordnet. Die Baldachine über den Heiligen setzen die Reihe der Giebel in Form von Eselsrückenbogen oberhalb des leeren Feldes fort, und die dahinter liegenden Mauern mit den Fenstern und der oberen Zinnenbekrönung entsprechen einander in der Gestaltung und in den Massen. Ob die vorragenden seitlichen Türmchen unmittelbar an die vorhandenen Teile anschlossen oder ob das mittlere Schreinchen ursprünglich noch breiter war, lässt sich nicht mehr sagen. An sich wäre eine weitere Doppelarkade auf jeder Seite wohl vorstellbar, aber nicht notwendig, um so mehr, als die Arkaden ihre Abschlüsse ebenso durch die runden Fialen haben wie auch die Türmchen.

Ein kurzes Verbindungsglied ist anzunehmen. Der mittleren Nische fehlt der untere Ab-

Abb. 1. Fragment eines Hausaltärchens. Burgundisch, erstes Drittel 15. Jahrhundert.
Abegg-Stiftung Bern.

schluss. An sich hat sie genau die Breite einer Doppelarkade, doch ist eher entsprechend der kleinen Nische in der Wandpartie darüber an eine dreiteilige Mittellösung zu denken. Die ganze Arkadenpartie war ursprünglich nicht flach, sondern folgte den Vor- und Rücksprüngen der darüber befindlichen Zone. Damit ergab sich eine viel bewegtere, reicher gegliederte Architektur, in die sich auch die seitlichen Türmchen harmonischer einfügten.

Auch die obere Bekrönung ist nicht mehr im originalen Zustand. Von der mittleren Fiale ist noch die mittlere Nische mit der Madonna mit dem Kinde intakt, die beiden seitlichen Giebel wurden tiefergesetzt, so dass sie heute in der Höhe der Konsole der Madonna zu stehen kommen. Ursprünglich setzten sie an die Giebel über der Madonna an, so dass drei Nischen eines Türmchens entstehen, also eine verhältnismässig reich gegliederte Architektur, die der darunter liegenden mittleren Schreinzone entspräche. Sie bildete über ihr einen kleinen Baldachin. Das Türmchen, von dem nur die Spitze erhalten ist, hat man sich ursprünglich höher vorzustellen; keinesfalls war es von den beiden schlanken überragt. Vielleicht entsprachen der grösseren Höhe des mittleren Türmchens auch höhere Fialen seitlich aussen, unter denen dann ursprünglich wohl auch Nischen für Figürchen sich befanden.

So ergibt sich ein Bestand, der leicht als die obere Partie eines Hausaltärchens erkennbar ist, also die wesentliche Partie, die eine allgemeine Rekonstruktion des ursprünglichen Aussehens gestattet (Abb. 2). Seine Form hat man sich etwa in der Art des Reliquienaltärchens in der Frari-Kirche in Venedig vorzustellen [2] – zumindest, was den Mittelteil betrifft –: eine reich differenzierte vor- und zurückspringende Wand, mit ihrer Giebelreihe Baldachine schaffend, gewissermassen einen kleinen Schrein bedeckend, in dem entweder ein oder mehrere grössere Figürchen oder Reliquienkapseln ihren Platz fanden (Abb. 3). Die seitliche Begrenzung bildeten die beiden Türmchen mit den hl. Christophorus und Georg. Ein höherer Sockel, in den Proportionen dem des Altärchens der Frari-Kirche ähnlich, wäre am besten als unterer Abschluss vorzustellen.

Auch über die Anordnung der Figürchen kann man ungefähre Vorstellungen gewinnen. Zweifellos am originalen Platz sind die hl. Christophorus und Georg, wahrscheinlich ist es auch die Madonna mit dem Kinde. Daher wird man zunächst folgern dürfen, dass auch die übrigen Heiligenfigürchen ursprünglich unter Baldachinen standen. Die hl. Dorothea und Margarethe [3] stehen übrigens auf gleichartigen Konsolen wie die Madonna. Ob sie in

---

[2] Vgl. Katalog der Ausstellung «Europäische Kunst um 1400», Kunsthistorisches Museum Wien 1962, S. 380 ff., Nr. 440, Abb. 18. – E. Steingräber in: Anzeiger des Germanischen Nationalmuseums Nürnberg 1969, S. 34.

[3] Der Kopf des Drachens, den sie in der linken Hand hält, ist abgebrochen. In der rechten Hand hielt die Heilige Blumen oder eine Palme.

Abb. 2. Fragment eines Hausaltärchens in der Abegg-Stiftung Bern, Riggisberg; Rekonstruktionsskizze
(Gisela Cramer-Fuhrke del.).

den seitlichen Nischen des Mitteltürmchens ihren Platz hatten? In der Nische darunter
wird man sich je nach dem Thema des Schreines am ehesten eine der göttlichen Personen
– am wahrscheinlichsten Gott Vater oder die Taube des Heiligen Geistes über einer Szene
aus dem Leben Christi – vorzustellen haben. Ob die beiden Engel mit den Wappenschilden
noch auf ihrem ursprünglichen Platz befestigt oder ob sie an die Stelle versetzt zu denken

sind, wo heute Petrus und Paulus stehen, ist schwer zu sagen. Die beiden kleinen adorieren-
den Engel waren sicherlich nicht so aussen an die Giebel angeklebt; man wird sie sich am
ehesten in einem Zusammenhang mit der oberen Madonnenfigur oder der Figur in der darunter befindlichen Nische vorzustellen haben. Wo Petrus und Paulus ihren ursprünglichen
Platz hatten, ist nicht mehr rekonstruierbar. Schon grössenmässig fällt das Figürchen des
kreuztragenden Christus auf. Es gehört als einziges nicht zum Rahmen des Altärchens, sondern muss dem Bildprogramm des Schreines (oder der Flügel?) zugewiesen werden. Es gibt
den einzigen Anhaltspunkt für eine verlorene Passionsfolge, die wohl ihrer Ausdehnung
wegen eine mehrteilige Anlage des Altars postuliert. Die Frage, ob das Altärchen so wie das
in der Frari-Kirche, Venedig, bewegliche Flügel hatte, muss offenbleiben. Ansatzstellen für
Gelenke sind an den Türmchen nicht zu sehen – sie können aber abgearbeitet sein. Anderer-
seits ist auf Grund des kreuztragenden Christus mit einem ausgedehnteren Zyklus zu rechnen; auf eine grössere Szenenfolge lässt auch die allgemeine Freude an vielen Figuren, die
das Fragment deutlich erkennen lässt, schliessen. Altäre mit sehr reich gegliedertem archi-
tektonischem Rahmen und vielen – oft auch kleinfigurigen – Darstellungen waren im späten
14. und im 15. Jahrhundert besonders im Burgund und den zum gleichen Herrschaftsbereich
gehörenden Niederlanden sehr beliebt. Gerade dort gilt auch in besonderem Masse die Ver-
gleichbarkeit des grossen Altares, der wie eine kostbare Goldschmiedearbeit wirkt, mit
einem kleinen Haus- oder Reisealtärchen, das in seiner Vielgliedrigkeit das grössere Vorbild
wörtlich umzusetzen scheint. In diesem Zusammenhang, als Transformation grösserer
Altarretabel ins kleine Format, ohne auf seinen szenischen Reichtum, auf das vielteilige Bildprogramm zu verzichten, muss das kleine Goldschmiedealtärchen der Abegg-Stiftung gesehen werden.

Die Details der kleinen Arbeit sind sehr fein. Die Tendenz zur Verzärtlichung, für diese
Zeit so charakteristisch, bestimmt auch dieses Werk. Die Figuren sind nicht nur verklei-
nerte Nischenfiguren, sondern sie haben durch ihre Haltung etwas Spielerisches, Leichtes,
Beschwingtes; am stärksten vielleicht die hl. Margarethe, die nicht als Zeichen des Sieges auf
dem Drachen steht, den sie durch ihren unerschütterlichen Glauben bezwang,
sondern ihn wie ein kleines, zahmes, zum Spielen dressiertes Haustier in der Hand hält.
Die Vielteiligkeit der Architektur wird durch den Reichtum der Details bestimmt. Es
ging dem Goldschmied dabei nicht allein darum, mit den seiner Kunst eigenen Mitteln
ein Haus- oder Reisealtärchen zu gestalten, sondern mit minuziöser Genauigkeit in ver-
schwenderischer Fülle die Details einer Palastarchitektur nachzuahmen, samt den Menschen, die darin leben. Das Altärchen erinnert so an Puppenhäuser später Jahrhunderte;
nicht nur die zierlichen Fialen, die kleinen Giebel und die aus der Wand herausgesägten
Fenster, sondern vor allem die Türen, durch die man in Miniaturtreppenhäuser blickt,
und die Fenster mit geöffneten Läden, aus denen Figuren herauslehnen. Auch aus den

Abb. 3. Hausaltärchen, böhmisch (?), Anfang 15. Jahrhundert. Venedig, Frari-Kirche.

Dachluken der Türme und über die Zinnen der Mauern beugen sich Menschen. Es ist der Eindruck eines sehr belebten, reich ausgestatteten Palastes. Angesichts des liturgischen Charakters wird man so für das Altärchen wohl an die Vorstellung der Himmelsstadt denken müssen, die von den Heiligen bewohnt ist.

In der Zeit um 1400 ist derartiges öfters zu finden; so stellt der Sockel des Reliquiars mit einem Dorn der Krone Christi (London, British Museum, Waddesdon-Bequest)[4] auch das Himmlische Jerusalem dar, mit den posaunenblasenden Engeln auf den Zinnen der Türme; bis in die kleinsten Einzelheiten mit Treppchen, Toren, Fenstern und Fensterladen wird auch hier wie bei einem kostbaren Spielzeug die Architektur einer befestigten Mauer nachgebildet. Das Dorn-Reliquiar, ehemals ein Prunkstück der Wiener Geistlichen Schatzkammer, wo anlässlich einer «Restaurierung» im 19. Jahrhundert eine Fälschung unterschoben wurde, gehört zu einer grösseren Gruppe von Goldemailarbeiten, die in Paris im späten 14. und im ersten Drittel des 15. Jahrhunderts geschaffen wurden.

Damit soll das kleine Fragment nicht in eine unmittelbare Beziehung zu dieser bedeutendsten Gruppe der Goldschmiedekunst der Zeit gebracht werden, wenngleich es nicht auszuschliessen ist, dass die Figürchen wenigstens teilweise emailliert waren. Die jüngere Bemalung der Gesichtchen, die fragmentarisch erhalten ist, mag von einer späteren Restaurierung herrühren, bei der noch etwas vom alten Email erkennbar war. Näher heran scheint mir die subtile Miniaturarchitektur zu führen, die denen der genannten Gruppe kaum wesentlich nachsteht. Sie zeigt zumindest, dass die Pariser höfische Goldemailkunst um 1400 nicht in allem etwas Einmaliges ist, sondern sich aus einer allgemeineren Übung der Zeit vor allem durch ihre souveräne Behandlung des Emails heraushebt.

Auf der anderen Seite sagt die Möglichkeit, das Fragment der Abegg-Stiftung mit diesen Goldschmiedearbeiten vergleichen zu können, schon etwas über seine Qualität aus. Es muss sich um ein bedeutendes Stück gehandelt haben. Die kleinen Figürchen sind ebenso wie die Architekturteile sehr reizvoll und abwechslungsreich gestaltet. Man könnte sich daher gut vorstellen, dass im Inneren als Hintergrund Email verwendet war, von dem sich goldene Figürchen wie der kreuztragende Christus wirkungsvoll abhoben. Ist übrigens die Rille in den Kreuzbalken als Vertiefung zur Aufnahme von Email zu erklären?

So würde sich das Bild dieses in den Details anspruchsvollen Fragmentes erst schliessen: dass die Rahmung aus vergoldetem Silber im Schrein noch wesentlich kostbarere Teile umschloss, die vor allem farbig eine Steigerung brachten. Es ist uns aus dieser Zeit nicht allzuviel in dieser Art erhalten geblieben – vor allem auf dem Gebiete der kleinen Hausaltärchen. Das Fragment der Abegg-Stiftung hilft daher sehr, von dieser Gruppe der Goldschmiedearbeiten eine genauere Vorstellung zu gewinnen.

[4] Th. Müller und E. Steingräber, Die französische Goldemailplastik um 1400, in: Münchner Jahrbuch der Bildenden Kunst 3. Folge V, 1964, S. 35 (Abb.) und S. 66 f. (Katalog).

EIN SPÄTGOTISCHER MORISKENFRIES
AUS DEM PIEMONT

VON THEODOR MÜLLER

In den Sammlungen der Abegg-Stiftung befinden sich achtzehn Tafeln in gebranntem grau-rotem Ton mit Reliefdarstellungen aus einem Moriskentanz. Es sind fünf Motive, die jeweils in mehreren Exemplaren vorhanden sind:

Ein wild tanzender Musikant (Inv. Nrn. 12.53.72–12.56.72), nach rechts gewendet, mit hohem, mit Schellen besetztem Spitzhut, mit einer Hand die Pfeife bedienend, mit der ande-ren die Riemen einer Trommel haltend, am Rücken eine mit Schellen behängte Kapuze mit Ohren. Schellen sind auch am Ende der langen Bahnen der Flügelärmel, in doppelter Reihung am Gürtel sowie an den Beinlingen und an den Spitzen der Trippen angebracht (Abb. 5).

Ein Tänzer (Inv. Nrn. 12.47.72–12.52.72), nach links gewendet, angetan mit dem Wulstreif einer Kappe, einem Gewand mit Flügelärmeln und dem Wulstreif eines Gürtels. Arme und Beine sind entblösst. Die linke Hand ist zum Kinn erhoben. Schellen an den Ärmeln, am Schultertuch, am Leibrock, an den Beinen und Füssen (Abb. 2).

Ein ebenso bekleideter tanzender Gaukler (Inv. Nrn. 12.57.72–12.58.72), nach links gewen-det. Freischwebend sind die riesigen Enden des Wulstreifes des Gürtels und des Wulstreifes der Kappe dargestellt. Schellen am Kopftuch, am Leibrock, an den Gürtelenden und klir-rend in den Händen (Abb. 4).

Ein tanzender oder laufender Schelm (Inv. Nrn. 12.59.72–12.61.72), nach rechts gewendet, mit hohem schellenbesetztem Spitzhut mit aufgeschlagenen Krempen. Seitwärts flattern die schellenbesetzten Flügelärmel. Schellen auch am Leibrock, am Gürtel, an den Beinlingen und in den Händen (Abb. 3).

Die Dame (Inv. Nrn. 12.62.72–12.63.72), die Preisrichterin im Wettspiel der Schalke, ist frontal dargestellt. Sie trägt ein hohes Kopftuch, rafft mit der Linken das nichtgegürtete Ge-wand und hält in der erhobenen Rechten den Siegespreis, eine Blumenstaude (Abb. 6).

Bei den meisten Tafeln sind die Kanten abgestossen und ausgebrochen. Bei einigen Tafeln ist aber die ursprüngliche Segmentierung der Längsseiten und die Verjüngung der Formate zum Inneren der Bogenführung der ursprünglichen Montierung unversehrt erhalten geblie-ben. Andere Tafeln sind seit je rektangulär gewesen. Die Masse differieren zwischen einer

Höhe von 29,5 und 35 cm und einer Breite von 22,5 und 25 cm. Gewisse Differenzen sind durch den Schwund beim Brand, andere durch den variablen Erhaltungszustand verursacht. Offenkundig handelt es sich um serienmässig hergestellte, vor dem Brand mit der Spachtel zubereitete Abformungen aus Modeln. So sind gewisse Verschiedenheiten z. B. in der Formung der Augen zu erklären. Die Reliefs dienten als Versatzstücke zum Dekor von Scheitel und Gewände eines Portales oder eines Fensters. Daraus ergab sich der Wechsel von segmentierten und rektangulären Formaten. Für die Anbringung wurden die Rückseiten aplaniert. Zur Serie dieser Ziegel gehört auch ein rahmendes, dekoratives Terrakottarelief (Inv. Nr. 12.46.72), hoch 27,9, breit 19,4 cm, mit der Darstellung einer Blattranke, die mit dem Kolben einer Frucht gefüllt ist (Abb. 7).

Auch der Keil aus der Scheitelmitte des Bogens ist erhalten geblieben: die zentrale und deshalb nur in einem Exemplar bestehende, frontal komponierte Reliefdarstellung (hoch 26, breit 25 cm) eines schalmeiblasenden und zugleich mit der rechten Hand trommelnden Schalkes (Inv. Nr. 12.64.72), der angetan ist mit einer Narrenkappe mit Eselsohren, bestückt mit drei Schellen, und mit zwei riesigen Flügelärmeln, die mit Schellen besetzt sind. Schellen sind auch am unteren Saum des kurzen Wamses und an den Stiefeln angebracht, deren hohe Stulpen zerknittert sind (Abb. 1). Der Kopf ist markant hinterfangen. Die Narrenkappe überragt den Segmentbogen der Folie. Formal wirkt dies Terrakottarelief wie ein heraldisches Emblem – etwa vom Portal eines Tanzhauses.

Werner Abegg hat diese Reliefserie 1956 in Mailand erworben. Übereinstimmende Reliefdarstellungen der vier Tänzer befanden sich in der Sammlung Dr. Albert Figdor in Wien[1]. Sie sind jetzt verschollen. Sie stammten aus Turin, angeblich von einem Erker. Dieser Verwendungszweck ist jedoch unwahrscheinlich.

Im Museo Civico d'Arte Antica di Torino ist das Fragment der dekorativen Bogenfüllung vom Scheitel eines Fensters bewahrt (Abb. 8), bestehend aus Versatzstücken von siebzehn Terrakottareliefs[2]. Man sieht die schematische Aneinanderreihung von fünf Darstellungen solcher Tänzer, aussen und innen durch einzeln gefertigte Ziegel mit der Darstellung einer Blumenstaude (angeblich einer Margarite) eingerahmt. Zu diesen Reliefs der Schellentänzer gehört noch ein weiteres, separates Exemplar in diesem Museum. In diesen Darstellungen wiederholen sich wörtlich die Motive der Terrakottareliefs der Tänzer der Sammlung Abegg.

Das Turiner Fragment einer Bogenfüllung stammt von einem Haus in Alba (Le Langhe). In dieser Stadt haben sich an einigen Häusern noch in situ ähnliche Terrakotta-Relieffriese er-

---

[1] Ph. M. Halm, Erasmus Grasser, Augsburg 1928, S. 139, Tafel XCIV. Diese Reliefs sind in den Auktionskatalogen der Sammlung Dr. Figdor nicht enthalten und können auch in der Dr. Albert-Figdor-Stiftung Wien nicht nachgewiesen werden.

[2] Museo Civico di Torino: L. Mallé, Le Sculture del Museo d'Arte Antica, Catalogo, Torino 1965, p. 131, tavv. 96, 99.

Abb. 1. Narr, Terrakottarelief, Piemont, Mitte des 15. Jahrhunderts.
Abegg-Stiftung Bern.

Abb. 2 und 3. Morisken, Terrakottareliefs. Piemont, Mitte des 15. Jahrhunderts.
Abegg-Stiftung Bern.

halten. Faszinierend sind die Reliefdarstellungen an der Casa Campana [3] (Abb. 9, 10). Ausgelassen tollende Schellentänzer flankieren eine Jungfrau, die schräg über der Brust ein
Schellenband trägt. Da sind Paare turnierender Putten. Ein tanzender Flötenbläser spielt
auf. Springende Putten, angetan mit einem Schellenband schräg über dem Oberkörper,
schwingen Girlanden. Diese Motive wiederholen sich. Auf jedem Ziegel ist immer nur eine
Figur dargestellt. Diese Reliefs sind nicht additiv aneinandergereiht, sondern bildhaft zu
Handlungen zusammengefügt.

[3] Prof. Dr. HERBERT KEUTNER, Kunsthistorisches Institut Florenz, verdanke ich den Hinweis auf diesen
Relieffries. Im Kunsthistorischen Institut befinden sich heute nicht mehr zu beschaffende Photographien
dieser Reliefs des Istituto Italiano d'Arti Grafiche Bergamo. Prof. Keutner erlaubte die Reproduktion
dieser Photographien.
Eine spezielle Untersuchung müsste von der Geschichte und der ursprünglichen Funktion des Gebäudes
ausgehen.

Abb. 4 und 5. Morisken, Terrakottareliefs. Piemont, Mitte des 15. Jahrhunderts.
Abegg-Stiftung Bern.

Sicher sind diese Terrakottareliefs am Ort manufakturartig hergestellt worden. Das dekorative System solcher Rahmungen der Gewände von Fenstern und Portalen scheint in Piemont im Quattrocento häufig üblich gewesen zu sein [4]. Auch ist hier die Verwendung von Terrakotta in der spätgotischen Bauplastik typisch [5].

Ich meine, diese lustigen Terrakotta-Relieffriese in und aus Alba seien ob ihrer ausgeprägten, voluminösen, malerisch verschleierten Formgebung gegen die Mitte des 15. Jahrhun-

---

[4] Vgl. die Matonelle decorative di finestre e porte im Museo Civico di Torino, Cat. Mallé, l. c., p. 131/4, tavv. 97/103 – Finestra in cotto, dal Chierese, XV° sec., Coll. Sign. Cesare Borgo, Torino: V. Viale, Gotico e Rinascimento in Piemonte, Torino 1939, Cat. p. 195, tav. 229 – Aosta, Priorato di S. Orso, palazzetto (Catalogo delle cose d'arte e di antichità d'Italia I, 1, P. Toesca, Aosta, Roma 1911, Nr. 149 – L. Mallé, Le Arti Figurative in Piemonte, Torino 1961, p. 89).

[5] Vgl. die von Mallé, Le Arti Figurative, l. c., p. 97, 147 zitierten monumentalen Skulpturen aus dem frühen 15. Jahrhundert, z. B. in Chivasso und in Alessandria.

derts geschaffen worden. Stilistisch sind diese Figurationen Reduktionen aus Vorstellungen räumlicher Ensembles des sog. weichen Stiles vom Anfang des Jahrhunderts, wie beispielsweise aus einer Konfrontierung mit dem Wandrelief der Anbetung der Könige am Haus via degli Orefici 47 in Genua zu erweisen ist [6]. In der savoyischen Kunst dieser Zeit vermischen sich einheimische Überlieferungen mit burgundisch-französischen Einwirkungen in seltsamer Weise [7], ganz besonders in dem ausgedehnten Bereich jener höfischen Künste, die immer und allenthalben aus überregionalen Kontakten erblühten [8].

Wesentlich scheint mir die Wahrnehmung zu sein, dass es sich bei dem Zyklus der Sammlung Werner Abegg, wie die Motive der Dame, des Spielmannes und des Narren erweisen, um Darstellungen eines Moriskentanzes handelt. Eingehende Untersuchungen dieses Themas wurden wiederholt unternommen [9]. Ich habe den Eindruck, man gab bei der Erforschung der Ausbildung und Ausbreitung dieses Tanzes den Nachweisen in England ob der Vielzahl der literarischen Beglaubigungen eine zu grosse Bedeutung. Wie der Name bezeugt, handelt es sich um einen Tanz, dessen Verbreitung im späten Mittelalter vom mauresken Spanien seinen Ausgang genommen hat, ein volkstümlicher Tanz, der vor allem bei höfischen Feierlichkeiten und Lustbarkeiten beliebt wurde. Er ist in Frankreich und in Deutschland ebenso frühzeitig bezeugt [10]. Florentiner Kupferstiche aus der Zeit um 1460/1480 erweisen und verbreiteten die Usance des Moriskentanzes in Italien [11].

[6] H.-W. Kruft, Portali Genovesi del Rinascimento, Firenze o. J., p. 7, tav. 1.

[7] G. Troescher, Burgundische Malerei, Berlin 1966, S. 257: Savoyen und der Alpenrand, Geschichtliche Grundlagen.

[8] H. Keller, Italien und die Welt der höfischen Gotik, Wiesbaden 1967.

[9] M. Lossnitzer, Hans Leinberger, Berlin 1913, S. 6 – Ph. M. Halm, Der Moriskentanz: Bayerischer Heimatschutz XXIII, 1927, S. 138 – Ph. M. Halm, 1928, l. c., S. 131, Anhang II – R. Wolfram, Schwerttanz und Männerbund, Kassel 1935 – S. L. Sumberg, The Nuremberg Schembart Carnival, New York 1941 – H. Kohlhaussen, Die Minne in der deutschen Kunst des Mittelalters: Zeitschrift des Deutschen Vereins für Kunstwissenschaft IX, Berlin 1942, S. 161 ff. – E. Pörner, Der Tanz um die Maienkönigin: Archiv für Volkskunde von Niedersachsen 1942, S. 24 ff. – R. Fritz, Ein westfälischer Moriskentanz: Westfalen XXVIII, 1950, S. 14 ff. – H. Hanckel, Narrendarstellungen im Spätmittelalter, Diss. Univ. Freiburg i. Br. (ungedruckt), S. 197 – R. Wolfram, Neue Funde zu den Morisken und Morristänzen: Zeitschrift für Volkskunde L, 1953, S. 107 ff. – E. Tietze-Conrat, Dwarfs and Jesters in Art, London 1957 – H. Wyss, Der Narr im Schweizer Drama des 16. Jahrhunderts, Bern 1960. – Nachtrag: A. G. Gilchrist, A carved Morris-Dance panel from Lancaster Castle: Journal of the English Folk Dance and Song Society I, London 1932/34, p. 86.

[10] Vgl. auch V. Gay, Glossaire Archéologique II, Paris 1928, S. 144 – J. und W. Grimm, Deutsches Wörterbuch VI, Leipzig 1885, S. 2587.

[11] A. M. Hind, Early Italian Engraving, New York/London 1938, A. II, 12, pl. 97, B. III, 12, pl. 209. Der letztere Stich diente als Vorlage für die Radierung B. 73 von Daniel Hopfer. – J. Lauts, Isabella d'Este, Hamburg 1952, S. 24, teilt mit, dass bei klassischen Theateraufführungen am Hof in Ferrara (1486/87 bezeugt) als Intermezzi auch Moriskentänze dargeboten wurden. Ich verdanke diesen Hinweis Frau Elisabeth Halm.

Abb. 6 und 7. Terrakottareliefs, Piemont, Mitte des 15. Jahrhunderts.
Abegg-Stiftung Bern.

Als künstlerisch bedeutendste aus dem 15. Jahrhundert erhaltene Darstellungen dieses Themas nenne ich ausserdem: ein mittelrheinisches Tonmodel um 1440, Abguss im Österreichischen Museum für angewandte Kunst Wien [12], die geschnitzten Moriskentänzer des Erasmus Grasser von 1480 aus dem Tanzhaus der Stadt München [13], die kaum wenig später entstandenen neun je etwa 25 mm grossen, ebenso expressiv bewegten Silberreliefs aus der
Sammlung des Basilius Amerbach im Historischen Museum Basel [14], vielleicht Werke von
Heinrich Hufnagel in Augsburg (Abb. 12) und die Kupferstiche des Israel von Meckenem

[12] KOHLHAUSSEN, l.c., Abb. 14.
[13] PH. M. HALM, 1928, l.c., S. 14 ff. – E. HANFSTAENGL, Die Moriskentänzer des Erasmus Grasser, Berlin
o. J.
[14] WOLFRAM 1953, l.c., S. 111 – P. GANZ und E. MAJOR, Die Entstehung des Amerbachschen Kunstkabinetts
und die Amerbachschen Inventare, Basel 1907.

Abb.8. Bogenfüllung, Terrakotta. Aus Alba (Le Langhe), Mitte des 15.Jahrhunderts.
Torino, Museo Civico d'Arte Antica.

(G. 383, 460). Die steingemeisselten Reliefs am Söller des Goldenen Dachls von 1500 in Innsbruck[15] und eine Darstellung im «Freydal» (1502)[16] illustrieren, wie die Moriskentänze –
vielleicht in beabsichtigter Anknüpfung an burgundische Bräuche – zum Zeremoniell von
Festlichkeiten des Kaisers Maximilian gehörten. Noch triumphierte das wilde Stampfen und
das irre Klirren der Schellentänzer im Wettbewerb um die Gunst und das Urteil der Preisrichterin, bis dies Umbuhlen der wilden Männer im Humanismus literarisch kosmologisch
umgedeutet wurde[17].
Der Rollenverteilung dieses Themas begegnen wir schon in den Reliefdarstellungen einer
Gruppe von Elfenbeinkästchen – vielleicht dienten sie zur Aufbewahrung von Spielkarten–,
in denen sich eine ähnliche Thematik demonstrierte –, aus der Mitte der ersten Hälfte des
15.Jahrhunderts[18], die Julius von Schlosser – soweit ich sehe, bis jetzt unwidersprochen – ob

15 V.OBERHAMMER, Das Goldene Dachl zu Innsbruck, Innsbruck 1970, S.26 ff.
16 QU.VON LEITNER, Freydal des Kaisers Maximilian I., Turniere und Mummereien, Wien 1880/1882,
     S.LXIII zu Bl.36.
17 K.SIMON, Zum Moriskentanz: Zeitschrift des Deutschen Vereins für Kunstwissenschaft V, 1938, S.25 ff.
18 R.KOECHLIN, Les ivoires gothiques français, Paris 1924, S.468, f., Nr.1317/21 – M.H.LONGHURST, Cata-
     logue of carvings in ivory, Victoria & Albert Museum, London 1929, S.54, Inv.Nr.4660/1859 –E. VON
     PHILIPPOVICH, Elfenbein, Braunschweig 1961, Abb.61, 62 – Kat. des Germanischen Nationalmuseums
     Nürnberg, H.STAFSKI, Die mittelalterlichen Bildwerke I, Nürnberg 1965, S.253. Nr.233.

Abb. 9 und 10. Terrakottarelief-Friese. Alba (Le Langhe),
Casa Campana, Mitte des 15. Jahrhunderts.

Abb. 11. Elfenbeinkästchen. Savoyen (?),
Mitte des 15. Jahrhunderts.
Abegg-Stiftung Bern.

Abb. 12. Morisken, Goldschmiedemodelle.
Augsburg, um 1490,
Basel, Historisches Museum.

der Verquickung französischer und italienischer Elemente assoziativ als Zeugnis der zwei-
sprachigen savoyischen Hofkunst interpretiert hat [19]. Auch in den Sammlungen der Abegg-
Stiftung befindet sich ein schönes Beispiel dieser Produktion, noch mit Resten der ursprünglichen Farbigkeit (Abb. 11) [20]. Vielleicht ist auch das berühmte Spielbrett der Sammlung
Carrand in Florenz [21] mit der Reliefdarstellung des Moriskentanzes auf einer der Randlei-
sten aus solchen Tangenten französischer und italienischer Hofkunst in Savoyen erwachsen
und nicht in Nordfrankreich oder in Flandern zu lokalisieren.

[19] J. VON SCHLOSSER: Jahrbuch der Kunsthistorischen Sammlungen in Wien XX, 1899, S. 228, Nr. 74 ff.,
[20] S. 252/253.
  Inv. Nr. 5.37.69. Hoch 18 cm, breit 15 cm. Aus Sammlung Engel-Gros, vgl. Vente Georges Petit, Paris
  30. Mai/1. Juni 1921.
[21] GERSPACH, La Collection Carrand au Musée National de Florence: Les Arts, 1904, Nr. 32, S. 30/31 –
  KOECHLIN, l. c., S. 438, Nr. 1253 – PH. M. HALM, 1928, l. c., S. 139.

DAS PUZZLE MIT DEN STOFFTEILCHEN DER MALATESTA-GEWÄNDER

VON MECHTHILD LEMBERG

Am 12. Juni 1970, einem strahlenden Sommertag, gelangte ein eigenartiges hölzernes Kistchen in die Abegg-Stiftung nach Riggisberg, dessen Aufschrift lautete: «Resti di stoffa provenienti dalla tomba di Sigismondo Pandolfo Malatesta.» Bis an den Rand mit kleinen und kleinsten Stoffetzchen gefüllt, enthielt die kleine Kiste, zusammen mit fünf etwas grösseren Gewebestücken, alle Überbleibsel der einst prächtigen Gewänder, in denen Sigismondo Pandolfo Malatesta 1468 zu San Francesco in Rimini bestattet wurde[1].

Am 31. August 1756 – 288 Jahre nach Malatestas Tod – war sein steinerner Sarkophag (Abb. 1) zum erstenmal geöffnet worden. Nach einem Bericht mit einer Zeichnung (Abb. 2) von Giovanni Antonio Battara waren die Kleidungsstücke bis auf Schuhe und Strümpfe zu diesem Zeitpunkt noch erhalten[2]. Eine zweite Öffnung des Sarkophages fand am 28. September 1920 – 452 Jahre nach dem Tode Malatestas – statt. Von dieser Öffnung berichtet A. Tosi: «Die Kleider des Sigismondo waren in so kleine Stücke zerfallen, dass selbst Signora Sangiorgi – ihrer Geschicklichkeit wegen bekannt – nicht imstande war, eine auch nur teilweise Rekonstruktion vorzunehmen[3]». Aus dem gleichen Bericht geht hervor, dass man die Reste der in kleine Stücke zerfallenen Kleider in Schachteln sammelte und nur einige Muster von jedem Kleidungsstück zwischen Glas legte, um sie auszustellen. In dieser Weise wurden seit 1920 Überreste von Malatestas Gewändern in seiner Gedächtniskapelle gezeigt, in der er auf dem Fresko von Piero della Francesca, vor seinem Namenspatron Sigismund von Burgund kniend, dargestellt ist (Abb. 3). Die übrigen Gewebereste wurden für die folgenden 50 Jahre in dem besagten Kistchen versorgt (Abb. 4).

---

[1] *Sigismondo Pandolfo Malatesta e il suo Tempo*, Kat. Aust. Città di Rimini, 1970.

[2] G. SANGIORGI, Reliquie tessili rinvenute nella tomba di Sigismondo Pandolfo Malatesta in Rimini, in «Rassegna d'Arte Antica e Moderna», März, 1921, S. 93 ff., Neudruck in Contributi allo studio dell'arte tessile, Milano/Roma, vgl. S. 74 ff.

[3] A. TOSI, Relazione degli oggetti trovati nella tomba di Sigismondo Pandolfo Malatesta nel Tempio Malatestiano in Rimini, Rimini 1924. Originaltext: S. 5, ... ridotti in brandelli la più parte così piccoli e così friabili ... che malgrado la ben nota abilità della Signora A. Sangiorgi non fu possibile il ricostruire, sia pure in parte, le vesti ...

Abb. 1. Sarkophag des Sigismondo Pandolfo Malatesta,
Rimini, San Francesco.

Der Anblick der zur Konservierung[4] nach Riggisberg gelangten Gewebeüberreste war
wenig ermutigend. Bei der Ordnung der Fragmente fanden wir eine grosse Anzahl von kleinen Stücken des gleichen Brokatstoffes, zu dem auch die fünf grösseren Gewebefragmente

[4] Vgl. M. LEMBERG, The Conservation of the Grave-Garments of Sigismondo Pandolfo Malatesta, Bulletin
de Liaison, CIETA, Nr. 34.

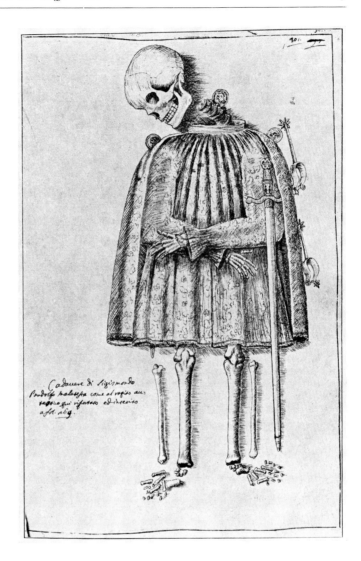

Abb. 2. Bericht von der ersten
Öffnung des Sarkophages 1756,
Zeichnung von Giovanni Anto-
nio Battara.

gehören, einige Borten mit Fransen, kleine Stücke aus Samtbrokat mit Resten von Nähten, Knöpfen und Knopflochleiste, Teile einer Brettchenweberei und zwei zu Klumpen verklebte Leinenfragmente. Der schlechte Erhaltungszustand der dunkelbraun verfärbten Gewebe liess sich an der Kleinheit der Fragmente ermessen, der Boden der Kiste war mit dem Staub zerfallener Gewebe bedeckt.

Abb. 3. Fresko von Piero della Francesca, Rimini, San Francesco.

DER SEIDENBROKAT DES OBERGEWANDES[5]

Die grösseren Fragmente und sämtliche zu dem Seidenbrokat gehörenden kleinen Stoffreste waren ohne sichtbare Spuren der Originalfarbe[6] und sehr brüchig, die Metallfäden[7], ehemals silbervergoldet, silbrig-grau ohne Glanz.

[5] Musterzeichnung in G. Sangiorgi, op. cit. Fig. 4, und bei A. Geijer, Ur Textil Konstens Historia, Lund 1972, S. 174, Fig. 4.

[6] Die Farbanalyse von J. Hofenk-de Graaff, Central Research Laboratory for Objects of Art and Science, Amsterdam, wurde erschwert durch die starke Verfärbung der Fragmente, jedoch lässt sich mit grosser Wahrscheinlichkeit sagen, dass die Seide mit Kermes, einem roten Farbstoff, gefärbt wurde.

[7] Die von Dr. Fritz Sauter, Meisterschule für Konservierung und Technologie, Akademie der bildenden Künste in Wien, durchgeführte chemische Analyse der Metallfäden von Seidenbrokat und Samtbrokat

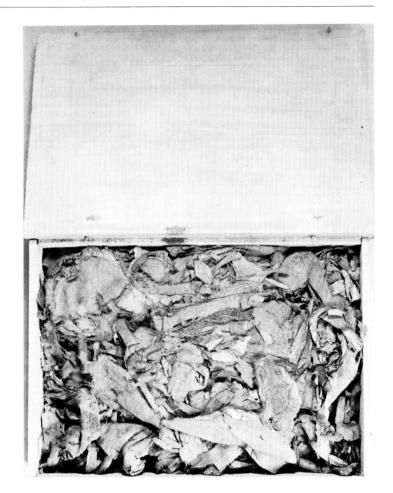

Abb. 4. Kistchen mit den
Stoffteilchen der Malatesta-
Gewänder.

Alle Gewebereste wurden zu ihrer Konservierung gewaschen (Abb. 5 und Abb. 6), fadenge-
rade ausgerichtet und getrocknet. Mit Ausnahme von einigen Bruchstücken mit Nahtspu-
ren, Fragmenten mit Fransenborte und Zwickeln, fanden wir keine Schnitteile, die es er-
laubt hätten, den Seidenbrokat einem Kleidungsstück zuzuordnen. Angesichts der spärlichen Anhaltspunkte war nicht an die Wiederherstellung des kurzen Obergewandes mit
Umhang zu denken, das Malatesta auf der Zeichnung des 18. Jahrhunderts trug und das
demjenigen auf dem Fresko Pieros della Francesca zu gleichen scheint. Es blieb uns darum

hat ergeben, dass es sich in beiden Fällen um eine Silber-Kupfer-Legierung handelt, die Neben-
mengen von Gold und Wismut enthält.

Abb. 5. Seidenbrokatreste vor dem Waschen.

nur der Versuch, aus den Geweberesten den Stoff des Gewandes wiederzugewinnen. Anhand der grösseren Fragmente liess sich eine Rekonstruktionszeichnung des Musterrapportes in Originalgrösse herstellen[8], wobei die vielen an den Stücken erhaltenen Webekanten,
die entweder eine ganze oder eine halbe Granatrose begrenzen, die Bestimmung der Web-
breite erlaubten. Eine ganze und eine halbe Rose ergeben mit 55 cm die im 15. Jahrhundert

---

[8] Die Rekonstruktionszeichnung des Musterrapportes verdanken wir GISELA CRAMER-FUHRKE.

Abb. 6. Seidenbrokatreste nach dem Waschen.

übliche Stoffbreite. Mit Hilfe des wiedergewonnenen Musters konnten wir dann die Motive der kleinen Stoffteilchen entziffern und sie ihrem Platz zuordnen (Abb. 7). Nur so wurde es möglich, auch kleinste Stückchen für die Rekonstruktion des Brokates zu nutzen. Auf diese Weise gelang es, aus unzähligen Gewebefragmenten eine Stoffbahn von 224 cm Länge wiederherzustellen, deren Muster ohne Schwierigkeiten zu lesen ist (Abb. 8). Für die weitere Aufbewahrung empfahl sich die Anbringung unter Glas. Dazu wurden die Fragmente Stück für Stück von der Zeichnung auf eine mit Filz bespannte Holzplatte übertragen, mit dünner

Abb. 7. Rekonstruktionszeichnung des Seidenbrokates mit Stoff-Puzzle.

Seidengaze bedeckt und alle drei Schichten durch stützende Nähte miteinander verbunden. So kann das Glas in Zukunft – ohne die gefundene Ordnung zu zerstören – entfernt werden[9]. Der Seidenstoff, aus dem Umhang und Obergewand des Malatesta gefertigt waren, besteht

[9] Das Puzzle und die Konservierung des Seidenbrokates sind das Ergebnis einer Gemeinschaftsarbeit des Textil-Ateliers der Abegg-Stiftung.

Abb. 8. Das Ergebnis des Puzzles:
der wiederhergestellte Seidenbrokat, Rimini.

aus einem broschierten Atlas mit Damasteffekt [10]. Auf einem einst scharlachroten, mit kleinen waagerechten Goldstrichen durchsetzten Seidengrund standen in Gold grosse siebenblättrige Granatapfelrosetten, deren Mitte eine von Blattwerk und Blüten umrahmte ananasähnliche Knospe bildete. Die Rosen entspringen spitzovalen Knospenranken, von denen sie eingerahmt werden, und sind im Rapport um eine halbe Rose versetzt angeordnet.

Nach Aufteilung und Zeichnung seines Musters steht der Goldbrokat aus dem Sarkophag des Malatesta dem Seidengewebe einer Dalmatik [11] aus der Sammlung der Abegg-Stiftung nahe (Abb. 9). Im Gegensatz zum Goldbrokat handelt es sich bei der Dalmatik um ein Damastgewebe [12] mit farbigem Mustereffekt ohne Metallfäden. Das Muster zeigt sich im weissen Damast Ton in Ton und wird durch farbige Partien ergänzt. Siebenblättrige Granatrosen stehen in weissem Grund, ihre Mitte ist gefüllt mit einem farbigen Granatapfel, umge-

[10] *Kette:*   Verhältnis: 1 Kette
         Material: Seide, Organzin (?) S, heute braun
         Stufung: 5–6 Kettfäden (?)
         Dichte: etwa 100 Kettfäden/cm
    Schuss: Verhältnis: auf 1 Grundschuss 1 Lancierschuss und 1 Broschierschuss
         Material: Grundschuss: Seide, 4fädig, ohne Drehung, dunkelbraun
                Lancierschuss: Seide, 2fädig, ohne Drehung, hellbraun
                Broschierschuss: Goldfaden, Lahn um Seele aus Pelseide
         Stufung: 1 Passée
         Dichte: 28–30 Passées/cm
Bindungen: Damasteffekt: 5bindiger Kettatlas FZ 3 und 5bindiger Schussatlas FZ 2 (über dem Kettatlas)
         Broschierschuss: durch ein Viertel der Kettfäden in 5bindigem Schussatlas FZ 3 abgebunden
Für die Gewebeanalyse danke ich Herrn Gabriel Vial vom CIETA in Lyon.

[11] Inv. Nr. 296, veröffentlicht in *2000 Years of Silk Weaving*, Kat. Ausst. Los Angeles County Museum, New York 1944, Nr. 150, Taf. 41. Ein Pluviale aus dem gleichen Stoff bei F. Podreider, Storia dei tessuti d'arte in Italia, Bergamo o. J., Abb. 188. Ein weiteres Stück des Stoffes im Art Institute of Chicago, *Masterpieces of Western Textiles*, Kat. Chicago 1969.

[12] *Kette:*   Verhältnis: 1 Kette
         Material: Seide, Organzin, weiss
         Stufung: 5 Kettfäden (?)
         Dichte: etwa 120 Kettfäden/cm
    Schuss: Verhältnis: auf 2 Grundschüsse je 1 Schuss der verschiedenfarbigen Broschierschüsse
         Material: Grundschuss: Seide, Trame, 2fädig, weiss
                Broschierschuss: Seide, Trame, mehrfädig, verschiedene Farben
         Stufung: 1 Passée
         Dichte: 15–16 Passées/cm
Bindungen: Grund: 5bindiger Kettatlas FZ 2
         Muster: 5bindiger Schussatlas FZ 3
         Broschierschuss: durch ein Viertel der Kettfäden in Körperbindung 4/1 S abgebunden
Die Gewebeanalyse verdanke ich Herrn Gabriel Vial vom CIETA in Lyon.

Abb. 9. Dalmatik aus der Sammlung der Abegg-Stiftung Bern.

ben von acht kleinen Blüten. Ebenso wie beim Malatesta-Stoff finden sich im weissen Grund
der Rosette kleine waagerechte gelbe Striche, nur werden diese nicht durch Goldfäden gebildet, sondern durch flottierende Seidenschüsse (Abb. 10). Die Granatrosette wird hier durch
farbiges Rankenwerk eingerahmt. Aus den spitzovalen Formen sind sechseckige Kompartimente geworden, deren Ecken abwechselnd durch Ananasfrüchte und Granatäpfel betont
werden. Blattranken und Knospen zeigen aufgelöstere Formen. Das Schema der Aufteilung
des Musters ist bei beiden Stoffen gleich. Auch bei der Dalmatik der Abegg-Stiftung wird die

Abb. 10. Ausschnitt der Dalmatik, Riggisberg, Abegg-Stiftung Bern.

Rosette im fortlaufenden Rapport um ihre halbe Breite versetzt. Am auffälligsten sind daneben die Übereinstimmungen in der Art, wie der Grund beider Gewebe mit kleinen goldenen oder gelben Strichen gemustert ist.

Doch obwohl sich beide Gewebe in Motiven und Gesamtgliederung sehr ähnlich sind, lassen sowohl die freiere Aufteilung des Musters als auch die aufgelösteren Einzelformen des Dalmatikstoffes diesen als einen Nachfolger des Goldbrokates erscheinen. Beide Stoffe sind italienischen Ursprungs, doch gibt uns das Todesjahr Malatestas – 1468 – die Datierung für den Goldbrokat; so dürfte der Stoff aus der Abegg-Sammlung erst um 1500 entstanden sein.

DER SAMTBROKAT DES WAMSES

Die Stoffreste vom Wams des Malatesta sind kleiner und noch brüchiger als diejenigen seines Obergewandes. Sie sind wie diese braun verfärbt, die einstige Farbe ist nicht mehr zu erkennen. Es handelt sich um einen seidenen Samtbrokat, der mit silbervergoldeten Metallfäden[13] geschmückt war, sein Muster ist leider an den kleinen Stücken nicht mehr abzulesen.

[13] Siehe Anmerkung 7.

Abb. 11. Stoffreste des Wamses vor dem Wässern.

Abb. 12. Knopf- und Knopflochleiste des Wamses.

Abb. 13. Gekräuselte Nähte des Wamses.

Abb. 14. Rundgesteppte Stoffteile des Wamses.

Abb. 15. Fragmente mit Saum und Ösen.

Die Krümel des Samtbrokates – die noch nicht ganz zu Staub zerfallen waren – wurden zunächst aus der Holzkiste in Schalen geleert. Beim Sortieren fielen Stücke auf, die noch etwas Struktur zeigten (Abb. 11):

– ein vorderer Kleiderverschluss mit Knopf und Knopflochleiste, mit dem Rest eines Halsausschnittes, der mit Leinen abgesteppt war (Abb. 12);
– Stücke der vorderen Knopflochleiste ohne gestepptes Futter;
– eine Taillennaht mit gesteppten und ungesteppten Partien;
– Bruchstücke mit gekräuselten Nähten (Abb. 13);
– Rundgesteppte Stoffteile (Abb. 14);
– Fragmente mit Saum und Ösen (Abb. 15).

Es war nicht ratsam, diese brüchigen Reste zu waschen, wir begnügten uns mit Wässern, Auslegen und Trocknen. Alle Teile deuten auf ein Gewandstück, wie es bei der zweiten Graböffnung von A. Tosi beschrieben wird: unter dem kurzen Obergewand trug Sigismondo ein Wams oder eine Weste mit Ärmeln, bis zur Leiste reichend, eng in der Taille, aus Samt «soprariccio d'oro» gearbeitet, mit kleinen Ösen auf beiden Seiten und mit samtbezogenen Knöpfen nur auf der rechten Seite [14].

Diese Beschreibung setzte uns in die Lage, den Schnitt der Weste von den erhaltenen Fragmenten her abzuleiten. Wir hatten den Halsausschnitt, den vorderen Verschluss, von dem die Fütterung zeigte, was oberhalb der Taille war – nach damaliger Sitte waren die Oberteile abgefüttert, die unteren Teile eines Wamses sollten eng anliegen und waren darum ungepolstert. Die Zuordnung der Stücke mit den gekräuselten Säumen und jener mit den Ösen hingegen gab Rätsel auf, bis wir auf eine Handzeichnung [15] aus Florenz vom Ende des 15. Jahrhunderts stiessen, die einen Mann im Negligé, d. h. im Wams, zeigt (Abb. 16). Dieses Wams passt genau zur Beschreibung von Tosi, es zeigt lange Ärmel, reicht bis zur Leiste und hat Ösen auf beiden Seiten und rechts Knöpfe. Wir konnten anhand der Zeichnung die gekräuselten Teile an den Puffärmeln und die Ösen an den Leisten lokalisieren, wo sie zur Befestigung der Beinlinge dienten. Das Rätsel war gelöst. Es war uns nicht möglich, die Masse der Weste ausfindig zu machen, wir mussten uns begnügen, die halbwegs geformten Teile zusammenzustellen und zwischen zwei Lagen eingefärbten Seidencrepelines zu fixieren (Abb. 17). Die nicht eingeordneten Teile des Samtbrokates wurden unter Glas aufbewahrt.

[14] Der Originaltext bei A. Tosi, op. cit. S. 6, lautet: «Aperto il sopradescritto abito, ... videsi di sotto un corpetto non foderato con maniche, corto però che soltanto arrivava fino all'Inguine stretto alla vita, e questo di veluto tagliato con soprariccio d'oro con piccole asole d'ambo le parti e piccolissimi bottoni fermati sulla destra parte e questi fatti della stessa Robba.»
[15] M. von Boehn, Die Mode. Mittelalter, München 1963, Abb. S. 155. Handzeichnung Florentiner Schule, Kreis des Maso Finiguerra, Uffizien Florenz.

Abb. 16. Mann im Negligé,
Handzeichnung, Florentiner Schule, Florenz, Uffizien.

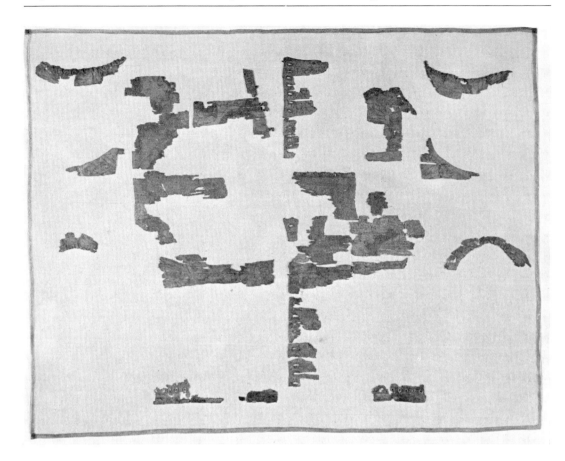

Abb. 17. Gewebereste des Wamses, eingehüllt in Seidencrepeline, Rimini.

Das Ergebnis unserer Arbeit war beim Wams ein anderes als beim Oberkleid. Dort konnten wir eine Stoffbahn mit Muster rekonstruieren, die ein ganz repräsentables Ausstellungs-stück ergab. Hier ergab sich kein Stoffmuster, dafür zeigt uns die Ordnung der Fragmente – im Zusammenhang mit der florentinischen Zeichnung –, wie man sich das Wams des Mala-testa vorzustellen hat.

DAS LEINENE GRABTUCH

Zuunterst in der Kiste fanden sich zwei Reste von Leinengewebe, durch Schmutz und Feuchtigkeit zu Klumpen verhärtet (Abb. 18). Wir wässerten diese Klumpen zwei Tage und Nächte und konnten sie dann lösen. Es zeigten sich Leinenstücke mit und ohne Webekanten

Abb. 18. Reste des Grabtuches vor dem Waschen.

und mit einer Naht (Webekante an Webekante). Leider fanden wir keine Anhaltspunkte, die auf das Leinenhemd Malatestas hingedeutet hätten, das dieser nach dem Bericht von der zweiten Öffnung des Sarkophages unter dem Samtwams trug. So durften wir annehmen, dass es sich um aneinandergenähte gerade Stoffbahnen handelt, die eher dem Grabtuch als dem Hemd angehört haben. Auch diese Stücke montierten wir zwischen Crepeline (Abb. 19). Fünf weitere Leinenreste waren vollständig verrostet und verhärtet – drei davon wurden entrostet, zwei im alten Zustand belassen. Sie müssen nahe an den eisernen Waffen des Sigismondo gelegen haben.

Abb. 19. Reste des leinenen Grabtuches, eingenäht in Seidencrepeline, Rimini.

DER SEIDENE GÜRTEL

In der Holzkiste fanden sich schliesslich noch zehn Stücke einer mit Brettchen gewebten Borte, drei davon zeigten die ursprüngliche Breite von 4 cm. Alle Teile waren stark verrostet, hart und brüchig. Rein als Gewebe [16] ist die Borte das Interessanteste des ganzen Bestandes (Abb. 20). Sie ist aus Seide gearbeitet, reich mit Goldösen, Samt und Fransen geschmückt, und hat dem Malatesta nach dem Bericht von 1756 als Gürtel gedient. Stellt das Gewebe mit 4 cm Breite schon eine Seltenheit für diese Webtechnik dar, so ist uns für das Auftreten von Samtflor in einem Brettchengewebe kein Beispiel bekannt (Abb. 21 und Abb. 22).

Wir entrosteten die Fragmente, wuschen und trockneten sie darauf wie üblich. Bei der aufbewahrenden Konservierung wurde darauf geachtet, dass auch die Rückseite des Gewebes zugänglich blieb. Eingebettet zwischen zwei Schichten von Crepeline wurde die Borte auf

---

[16] Zur vollständigen Gewebeanalyse vgl. G. Vial, Un ruban de velours tissé «aux cartons», Bulletin de Liaison, CIETA Nr. 34, 1971.

Abb. 20. Fragmente des Gürtels nach dem Waschen, Rimini.

Abb. 21. Brettchengewebe des Gürtels, Oberseite, Rimini.

Abb. 22. Brettchengewebe des Gürtels, Rückseite, Rimini.

einer mit Stoff bezogenen Holzplatte in ein dickes Passepartout eingerahmt und mit Glas ge-
deckt. Glas und Passepartout sind leicht abzunehmen; so bleibt es möglich, das Stück jeder-
zeit auch von der Rückseite zu studieren [17].

[17] Die Konservierung des Wamses und der übrigen Gewebe aus dem Malatesta-Grab wurde von BRIGITTA
SCHMEDDING ausgeführt.
Die zum grossen Teil unter Glas konservierten Überreste der Malatesta-Gewänder wurden im Sommer
1970 und im Frühjahr 1971 wieder nach Rimini gebracht, wo sie im Tempio Malatestiano ausgestellt
werden sollen.

DAS TROJANISCHE PFERD

EIN BRÜSSELER WANDTEPPICH

VON MICHAEL STETTLER

Anlässlich einer mehrtägigen Zusammenkunft mit Werner Abegg in den frühen sechziger Jahren, die den Bauplänen des Instituts in Riggisberg gewidmet war, erschien am letzten Tag ein Kunsthändler mit einem grossen Paket als Angebot. Ich war schon reisefertig, der Wagen stand vor der Tür. Im Freien, auf dem Kiesboden, wurde der Ballen auseinandergefaltet, ausgebreitet erwies er sich als Wandteppich beträchtlichen Formats mit bewegter Darstellung und Bordüre, in ungepflegtem Zustand. Seine Qualität abwägen, ihn begehrenswert finden, mit den Augen sein Grössenmass schätzen und im Geiste die Wand dafür suchen, ihn dem Stifter für die geplante barocke Kunstkammer als Blickfang vorschlagen war das Werk einer Viertelstunde. Der Preis war vernünftig, Werner Abegg, mit der ihm eigenen Bündigkeit, sagte: «Gut, packen Sie ihn ein.» Der Teppich wurde auf dem Rücksitz verstaut und mitgenommen, während der Bauzeit des Instituts gereinigt und behutsam instandgestellt, dann, nach Bauvollendung, an der dafür vorgesehenen Wand aufgehängt. Bisher unveröffentlicht, sei er hier vorgestellt und zu einigen verwandten Stücken in Beziehung gebracht[1]. Von den drei Brüsseler Bildteppichen, die in Riggisberg ausgestellt sind, ist er der zeitlich letzte; nach dem spätgotischen Teppich, der Kaiser Maximilian beim Schachspiel mit seiner Gattin, Maria von Burgund, zeigt[2], und nach dem Teppich mit Taufe Christi aus

[1] Ausser den in den nachfolgenden Anmerkungen dankbar genannten Personen dankt der Verfasser für Rat, Hilfe und bereitwillig erteilte Auskünfte den Damen MECHTHILD FLURY-LEMBERG, GRETI SCHÄR, Dr. BRIGITTA SCHMEDDING, EVA SCHÜRCH in Riggisberg, cand. phil. THERESE STETTLER in Bern sowie den Herren cand. phil. TAPAN BHATTACHARYA in Bern, Prof. FLORENS DEUCHLER in Genf, Prof. EMIL MAURER in Zürich, KAREL OTAVSKY in Riggisberg, LARRY SALMON in Boston, HARVEY STAHL in New York sowie der STADT- UND UNIVERSITÄTSBIBLIOTHEK in Bern. Mit der ihn auszeichnenden kollegialen Hilfsbereitschaft hat JEAN-PAUL ASSELBERGHS, premier assistant aux Musées Royaux d'Art et d'Histoire in Brüssel, die hier vorliegende Studie von Anfang an begleitet, dem Verfasser Bildmaterial, Bücher und Auskünfte zur Verfügung gestellt. Erschütternd war die Nachricht von seinem am 16. Februar 1973 erfolgten frühen Unfalltod. In Dankbarkeit sei hier des vorbildlichen Menschen und grossen Kenners der flämischen Tapisserien und ihrer Geschichte gedacht. – Besonderer Dank gebührt auch EDITH STANDEN in New York, mit der durch mündlichen und schriftlichen Austausch die Beziehung zu mehreren Teppichen geklärt werden konnte.

[2] Abegg-Stiftung Bern, Inv. Nr. 95.

habsburgischem Besitz, ehemals im Wiener Kunsthistorischen Museum [3], vertritt dieser hier den romanisierenden Manierismus (Abb. 1).

DIE KATALOGANGABEN

Brüssel, drittes Viertel des 16. Jahrhunderts, Höhe 390 cm, Breite 550 cm, Inv. Nr. 83
Keine Marken
Wirkerei aus Wolle, Seide und Metallfäden (Gold und Silber)

Kette: Wolle, zweifädig, S-Drehung 7 /cm, naturfarben

Schuss: Wolle, zweifädig, S-Drehung 34–36 /cm, blau, rot, dunkelgrün, braun, gelb
             Seide, zweifädig, S-Drehung 46 /cm, hellgrün, hellgelb, Beigetöne
             Goldfaden, gelbe Seidenseele mit vergoldetem Silberlahn, S-Drehung 24 /cm
             Silberfaden, weisse Seidenseele mit Silberlahn, S-Drehung 24 /cm

Zustand: Der Teppich befindet sich nach der 1966 von der Münchner Gobelinmanufaktur in Nymphenburg ausgeführten Restaurierung in gutem Zustand. Diese bezog sich in erster Linie auf brüchige Seidenpartien. Die ausgefallene Seide wurde ergänzt, ohne dass die noch vorhandenen Reste entfernt wurden.

DAS BILDFELD

Die Szenen des Teppichs sind dem zweiten Buch von Vergils Aeneis entnommen. Aeneas, im siebten Sommer umgetrieben, erzählt darin nach dem Gastmahl der Tyrerkönigin Dido in Carthago das Ende Trojas und die geglückte List der Griechen mit dem hölzernen Pferd. Mehrere aufeinanderfolgende Szenen der Erzählung sind gleichzeitig ins Querrechteck des Teppichs gebannt.
In der linken Bildhälfte, nah der Mitte, lodert oben die riesige Flamme des griechischen Abfahrtsopfers. Unter dem Altar, der vom Priester Kalchas bedient wird, liegt Sinon, der, nach dem apollinischen Orakel von Kalchas bezeichnet, sein Blut lassen soll (Abb. 2).

> «Blut ist wiederum not für die Heimkehr. Eines Achivers
> Lebender Seele bedarf's...

---

[3] Abegg-Stiftung Bern, Inv. Nr. 1145.

Abb. 1. Das trojanische Pferd. Brüssel, drittes Viertel des 16. Jahrhunderts.
Wirkerei aus Wolle, Seide und Metallfäden.
Abegg-Stiftung Bern.

Eilends erscheint der unnennbare Tag, sie beschicken das Opfer,
Salz und geschrotetes Korn und das heilige Band um die
Schläfen»...[4]

Sinon reisst sich los, entweicht und verbirgt sich, immer laut seinem Bericht, vor den Trojanern. In Wirklichkeit war er auf des Odysseus Rat freiwillig aus seinem Versteck am
Strand hervorgekommen und hatte die Trojaner über die wahre Natur des Pferdes ge-

[4] Vergils Aeneis. Deutsch von R.A. SCHRÖDER. München Winkler Verlag, Lizenzausgabe des Suhrkamp-
Verlags Berlin 1952, S. 31.

Abb. 2. Das griechische Abfahrtsopfer. Ausschnitt aus Abb. 1.
Abegg-Stiftung Bern.

Abb. 3. Das trojanische Pferd. Ausschnitt aus Abb. 1. Abegg-Stiftung Bern.

täuscht. Aus Mitleid freigelassen, veranlasst er durch seine Lügenkunde die Trojaner – entgegen Laokoons Warnung, die dieser mitsamt seinen Söhnen fürchterlich büssen muss –, das hölzerne Pferd, das von den Griechen angeblich zur Versöhnung der erzürnten Minerva (Athena) errichtet war, vor ihren Mauern mit rollenden Gleitwellen zu versehen, eigenhändig den Wall zu durchbrechen, also die Mauern der Feste zu öffnen und schliesslich das «unheilschwangere Blendwerk» unter Feiergesang der Jugend in den innersten Burghof zu rollen. Das von den Griechen Troja zugedachte Schicksal sollte sich auf diese Weise in Mykene an ihnen selber erfüllen.

Im Bildfeld rechts oben kehrt das Pferd, schräg nach rechts gestellt, die Kruppe zum Beschauer. Eben entsteigen seinen fichtenen Flanken die Griechen, wobei ihnen der erste Ausgestiegene mit Helm und Krummschwert behilflich ist. Auf dem Rücken des Pferdes sitzt Sinon; er hält, sich umwendend, die brennende Fackel empor, die der griechischen Flotte das Zeichen gibt, dass Troja schläft und das Heer zurückkehren soll (Abb. 3).

Dahinter ist in barocker Architektur mit Säulen, Bögen und Kuppel der innerste Burghof, zum Teil schon brennend, und der Minerva-(Athena-)Tempel zu sehen, in dessen Nische man das Götterbild mit Helm, Schild und Lanze erkennt. Im Burghof sind die von Aeneas geschilderten Schrecken der Mordnacht in vollem Gang. Man sieht vor dem Sockel der Göttin unter einem Krönchen den Kopf der Priamos-Tochter Kassandra, die, aus dem Tempel hervorgezerrt, vor einem behelmten Griechen ins Knie gesunken ist; vor ihr fleht, auch kniefällig, ein Alter um ihre Schonung. Hinter Kassandra gleichfalls ein behelmter schwerttragender Krieger. Eine andere klagende Frauengestalt, wohl eine weitere Tochter des Priamos, eilt armehebend aus dem Portal eines Palastes zur Linken des Burghofs. Ganz rechts, unter den Arkaden, «innert der Säulenreihen», wie es in der Aeneis heisst, empfängt des Priamos Sohn Polites von Pyrrhus den Todesstoss [5] (Abb. 3).

Kampfszenen erfüllen auch den Vordergrund des Teppichs in wechselndem Massstab, eine solche ist auch auf den Quadern der eingerissenen Stadtmauer rechts vorn im Bilde sichtbar (Abb. 1).

Das Eindringen der Griechen vollzieht sich in Massen von links oben, wo man in der Ecke das Zeltlager auf einem Hügel sieht. Von dort her wälzen sich die Heerscharen mittels einer Überbrückung der turmbewahrten Mauer heran, von Berittenen angeführt. Den Mittelplan nehmen Schild- und Speerhalter und zwei Träger mit geschwellten Bannern ein, deren eines die Aufschrift «GRECIA» trägt (Abb. 4).

Im Vorderplan dominiert links ein gewaltiger behelmter Speerträger mit ins Leere gezücktem Speer, also ohne Gegenspieler, in gross ausschreitender Pose nach rechts; etwas zurückversetzt folgen Zweikämpfe mit gestürzten Trojanern.

Zeltlager, Landschaft, ein Stadtplatz zwischen Bäumen mit dem Abfahrtsopfer für Minerva und der Burghof bilden des Teppichs oberen Abschluss, Bodenblumen vorne den Grund des Kampfgetümmels.

---

[5] In der Deutung der Szenen waren dem Verfasser Prof. Konrad Müller und Prof. Hans Jucker in Bern und Dr. Georg Peter Landmann in Basel in dankenswerter Weise behilflich.

Abb. 4. Linke Hälfte des Troja-Teppichs mit einbrechendem Griechenheer,
Bannerträgern und Kriegern. Vgl. Abb. 1. Abegg-Stiftung Bern.

BORDÜRE UND INSCHRIFT

Umsäumt wird die ereignis- und figurenreiche Schilderung von der üblichen breiten Bordüre. Oben meldet in einer von Rollwerk und Maskarons gerahmten blauen Tafel eine Inschrift in lateinischen Majuskeln den Inhalt der Darstellung (Abb. 1):

QVOMODO GRECI EXTINXRINT TROIANOS
EQVO DVRATHEO QVO HONORE AC
SACRIFICARE DIANAE SE SIMVLABANT

(Wie die Griechen die Trojaner vernichteten mit dem hölzernen Pferd [durch das hölzerne Pferd], das sie als Ehrengabe und [...] der Diana darzubringen vorgaben.)

Nach AC fehlt ein Wort, es muss ein Substantiv im Ablativ gewesen sein, parallel zu HONORE. Möglich wäre etwa HONORE AC DONO (Ehrengabe und Weihgeschenk). Als DONVM wird das hölzerne Pferd zum Beispiel in der Aeneis II 31 bezeichnet. Denkbar wäre auch HONORE AC VOTO. In Zeile 1 der Inschrift sollte es heissen EXTINXE-RINT.

Irrtümlich ist in Zeile 3 Diana genannt; das hölzerne Pferd sollte ein Weihgeschenk für Minerva sein:

> «pars stupet innuptae donum exitiale Minervae»
> («Andre bestaunen das Ross, der unvermählten Minerva
> unheilträchtige Gift», Aeneis II 31.)

In Vers II 189 wird das Pferd nochmals als Geschenk für Minerva (donum Minervae) bezeichnet. Diana hat mit dem hölzernen Pferd nichts zu schaffen. Wie Diana in die Abschrift geraten ist, ist schwer zu sagen; das Ausfahrtsopfer in Aulis war von Diana (Artemis) gefördert, von dem der Verfasser der Inschrift im ersten Buch des Lukrez, Vers 84 ff., gelesen haben mag. Die Bezeichnung als equus durateus (nicht duratheus) der Bordüreninschrift kann nur aus Lukrez stammen, wo es in «De rerum natura» (1. Buch, Vers 476 ff.) heisst:

> «nec clam durateus Troianis Pergama partu
> inflammasset equus nocturno Graiugenarum...»
> («und nicht hätte heimlich das hölzerne Pferd in der Nacht

Griechen geboren und den Trojanern die Burg in Brand gesetzt...»). Lukrez «zitiert» hier Homer (Odyssee Buch 8, V, 493 und 512) [6].

Den Rollwerkrahmen der Inschrifttafel halten zwei sitzende grössere Putten, es folgen Urnen mit üppigem Blattwerk.

Die untere Bordüre füllt in der Mitte ein querovales Medaillon, das Braun in Braun vier Männer in einer Beratungsszene zeigt. Ganz links ein nach Münzbildnissen durch Strahlenkrone gekennzeichneter König, vermutlich Agamemnon. In der Mitte der Seher Kalchas, der bekanntgegeben hat, Troja sei statt mit Gewalt mit List einzunehmen. Er trägt langen Bart und Turban, wohl als Zeichen des weisen Mannes. Ganz rechts ein Mann in Spitzmütze

---

[6] Für die Interpretation der Inschrift und den Hinweis auf Lukrez danke ich Prof. KONRAD MÜLLER, Bern.

mit erhobenem Zeigefinger. Er macht eine Geste wie jemand, der einen plötzlichen Einfall hat oder etwas erklärt. Ist es Odysseus, der die List mit dem hölzernen Pferd vorschlägt? Der dritte Mann von links mit wie erklärend ausgebreiteten Armen ist vielleicht Epeios, der Erbauer des hölzernen Rosses, als ob er sagen wolle: «*So* geräumig werde ich den Leib des Pferdes machen!» Links hinten Troja in barocker Architektur, rechts Teile des Griechenheeres (Abb. 5).

Zu empfehlen scheinen diese Deutung die beiderseits des Medaillons sitzenden allegorischen Figuren der SPES links und der PRVDENCIA rechts: die durch Kalchas erweckte *Hoffnung*, Troja mit List erobern zu können, und die kluge *Vorsicht*, die Odysseus den listigen Plan eingab. Mit der Linken zeigt sie in einen Spiegel, um das rechte Handgelenk sind zwei Schlangen geringelt, am Hinterkopf trägt sie zweigesichtig die bärtige Maske der Täuschung (Abb. 5).

Abb. 5. Medaillon der untern Bordüre. Ausschnitt aus Abb. 1. Abegg-Stiftung Bern.

Im Wechsel folgen innerhalb der Bordüre waagrecht, dann senkrecht Blatt- und Blumenwerk sowie in den beiden unteren Ecken, je auf niedrigem Fahrzeug mit hölzernen
Rädern sitzend, die Gestalt der CARITAS. Den linken Wagen zieht, von einem gewen-
deten Putto geritten, ein Pferdezweigespann (Abb. 4), den rechten ein Adlerpaar mit
pfeilförmigen Zungen (Abb. 6). In der senkrechten Bordüre stehen unter umranktem Pergolabogen auf Konsolen beidseitig je die allegorische Frauenfigur der FIDES. Voluten,
Maskarons, Blumen, Früchte auf hellbeigem Grund bereichern die kunstvolle Bordüre,
die den meisterlichen Entwurf so gut wie die Routine der Wirker durch oft geübte Wie-
derholung verraten. Ein von Blumen bestecktes Flechtband begleitet als schmaler Rund-
streifen aussen und innen die Grotesken der Bordüre (Abb. 6).

Abb. 6. Adlerpaar der untern Bordüre. Ausschnitt aus Abb. 1. Abegg-Stiftung Bern.

FARBE, TIEFE, KOMPOSITION

Die auf Seite 230 in den Katalogangaben vermerkten Farben wechseln mosaikartig miteinander ab. Die kompakteste Fläche bildet das Gelb des trojanischen Pferdes, der thematischen Hauptfigur unseres Teppichs. Dann Rot in den Kostümen der Krieger, die den antikisierenden Vorstellungen der Epoche entsprechen und zugleich viele zeitgenössische Elemente enthalten. Was Göbel als typisch für die Esther- und die Trojateppiche der früheren Epoche empfand, gilt auch hier: die Vorliebe für auffallende, bizarre Detaillierung. «Wir finden eine Bewaffnung, die den Griechen absurde Helmformen, seltsame Armpanzerungen (–), Schilde in den unmöglichsten Variationen zudiktiert...[7].» Sie verleihen dem Getümmel die überall aufscheinende Farbe des Blutes, ohne dass solches sichtbar flösse. Blau im Himmel, in den Hügeln am Horizont, wieder in den Kostümen. Helleres Gelb, mit Grün vermischt, für Boden, Bodenblumen und Bäume. Für Himmel und Architektur Hellbeige und Blassrosa, desgleichen für den Fond der Bordüre (Abb. 4).

Mit Gold sind die Schlaglichter der Kostüme wiedergegeben, Gold ist auf Pferdekruppe, im Schweif und in der Mähne, auch in den Bodenblumen. In der Bordüre ist Gold vorwiegend in den Kostümen der allegorischen Figuren, Silber in den Grotesken.

Die Gross- und Kleinteiligkeit von Figuren, Attributen und Soffitten hält sich an das Gesetz der Perspektive, die eine ausserordentliche Raumtiefe schafft. Der figürliche und pflanzliche Schmuck der Bordüre ist demgegenüber auf einem Plan. Bildfeld und Bordüre haben offensichtlich verschiedene Tradition.

Während die Teppiche des 15. und beginnenden 16. Jahrhunderts das Bildthema als Hauptsache durchaus in die Mitte nehmen, ist das hölzerne Pferd hier manieristisch in das obere rechte Viertel des Feldes gerückt und dem Beschauer sogar halb abgewandt. Die Choreographie des buntbewegten figurenreichen Geschehens ist innerhalb des Rechtecks so angeordnet, dass sie den Blick des Betrachters unausweichlich zu diesem Pferd als zum Hauptthema führt.

Wendet man die These Heinrich Wölfflins «Rechts und Links im Bilde» auf diesen Teppich an[8], so beginnt die Führung des Betrachters oben links mit dem durch die Stadtmauer quellenden Griechenheer, das sich zunächst unabsehbar senkrecht herabwälzt, dann, zu kämpfen beginnend, im Mittelgrund nach rechts schwenkt. Hier greift nun der übergrosse behelmte Krieger ein, der mit seinem ausholenden Schritt und gezücktem Speer einzig die Aufgabe zu haben scheint, den Blick des Betrachters in die Richtung des hölzernen Pferdes zu

---

[7] H. GÖBEL, Wnadteppiche 1. Teil, Die Niederlande Bd. I. Leipzig 1923, S. 276.
[8] H. WÖLFFLIN, Über das Rechts und Links im Bilde. Gedanken zur Kunstgeschichte. Basel, Benno Schwabe, 1941, 3. Auflage, S. 82.

lenken, wobei er vom Bannerträgerpaar in der Mitte sekundiert wird (Abb. 1). Der über den Stadtmauerblöcken liegende Gefällte in der unteren Bildecke rechts gibt mit seinem Körper von der andern Seite her die Komponente, die genau zur Flankenöffnung des Pferdes hinauf-weist (Abb. 1). Unweigerlich gelangt so der Blick des Beschauers zu diesem Pferd; wie auf einer Bühne erweist sich das Getümmel als ein Geordnetes, so Gewolltes. Die dramatischen Nebenszenen der Mauerbresche links oben, des Minervaopfers und des Burghofes mit Tem-pel bilden dazu den sekundierenden Hintergrund.

VERWANDTE TEPPICHE MIT DER GESCHICHTE TROJAS

In ihrem Buch *The Legends of Troy in Art and Literature* schildert und belegt Margaret R. Scherer die fast unerschöpfliche Inspiration, die Dichter und bildende Künstler durch Jahrhunderte aus Ilias, Odyssee und Aeneis schöpften[9]. Der jüngst verstorbene Jean-Paul Asselberghs hat in seiner Dissertation *Les Tapisseries flamandes de la Cathédrale de Zamora* die Troja-Legende behandelt, die vom 14. bis ins 18. Jahrhundert zahlreiche Tep-pichentwerfer und -wirker in Atem hielt, und zahlreiche Stücke nachgewiesen[10]. In einer weiteren Studie, *Les Tapisseries tournaisiennes de la guerre de Troie*, gibt er den Catalogue rai-sonné der als Ganzes nicht erhaltenen Folge von elf grossen Wandteppichen mit Episoden von der Belagerung und dem Fall Trojas, wie sie ein französisches Gedicht erzählt, dessen Strophen mit ihrer lateinischen Übersetzung jeweils oben eingewirkt sind – später Nach-hall des *Roman de Troie* von Benoît de Sainte-Maure aus dem 12. Jahrhundert. Die Teppi-che selber wurden während der zweiten Hälfte des 15. Jahrhunderts in mehreren Wieder-holungen in den Werkstätten von Tournai, die für den Händler-Wirker Pasquier Grenier arbeiteten, hergestellt, für denselben übrigens, aus dessen Atelier die Berner Cäsarteppi-che stammen[11].

Die Grossen der Zeit nahmen diese Folgen zu sich: Karl der Kühne von Burgund, Hein-rich VII. von England, Ferdinand I. von Neapel, Karl VIII. von Frankreich.

Die Teppiche sind heute, z.T. in Fragmenten, über die Welt hin zerstreut: in den Museen von Boston, New York, London, Madrid, Montreal; vier ganz erhaltene befin-den sich in der Kathedrale von Zamora, fünf nunmehr verschollene waren bis zu ihrem

---

[9] Phaidon Press for the Metropolitan Museum of Art, New York und London 1963. – Vgl. auch Hugo BUCHTHAL, Historia Troiana. Studies in the History of Mediaeval Secular Illustration. London, The Warburg Institute 1971.

[10] Diss. Louvain 1964. Kapitel VIII: La Légende trojenne pendant 400 ans d'histoire de la Tapisserie. Darin die Belege für die oben kurz rekapitulierten Beispiele aus verschiedenen Ländern.

[11] R.L. Wyss, Die Caesarteppiche und ihr ikonographisches Verhältnis zur Illustration der «Faits des Romains» im 14. und 15. Jahrhundert. Berner Schriften zur Kunst IX, Bern, Benteli 1957.

Verkauf 1820 in Westminster aufgehängt. Ausserdem gibt es im Louvre acht Zeichnungen *vor*, im Victoria and Albert Museum fünf Zeichnungen *nach* Anfertigung dieser Teppiche [12].

Es begann gleich mit dem berühmtesten Namen der Zeit, dem Verfasser der Apokalypse von Angers, Nicolas Bataille, der 1374 dem Besteller jener Folge, dem Herzog Louis von Anjou, einen Teppich mit der Geschichte Hektors geliefert hat. Batailles Konkurrent und Nachfolger, Jacques Dourdain, verkauft gegen Ende des Jahrhunderts der Königin Isabella eine Zerstörung Trojas. England durfte nicht zurückstehen: im Inventar König Richards II. figurieren fünf Tapisserien mit «Griechen und Trojanern».

Im 15.Jahrhundert, auf Grund literarischer Quellen, die bis ins 12.Jahrhundert zurückgehen [13], ragen die bei Pasquier Grenier in Tournai gewirkten, oben erwähnten Folgen heraus.

Im 16.Jahrhundert befinden sich u.a. Teppichfolgen mit trojanischen Szenen in den königlichen Sammlungen von England, Schottland und Schweden, in den Kathedralen von Porto und Coimbra und bei dem Favoriten von König Franz I., Florimond Robertet, dann im königlichen Garde-meubles in Paris, wo die Chronologie von gotischen Figurenteppichen ohne Bordüre bis zu den zahlreichen Brüsseler Troja-Folgen des ausgehenden 16. und beginnenden 17.Jahrhunderts reicht, nunmehr mit Bordüren «fonds jaune à fleurs, fruits et figures» [14]. Auf ihnen, bemerkt Asselberghs, sind die friedlichen Hofszenen durch blutige Schlachten und Freiluftszenen ersetzt, die alle in gestaffelten Landschaften mit fernen Hügeln und Bäumen, auf Bodenblumen stattfinden und für die Brüsseler Produktion der Epoche charakteristisch und typisch sind [15]. Dazu gehört unser Troja-Teppich.

Die Brüsseler Werkstätten besassen allerdings kein Monopol für trojanische Teppiche. In der Sammlung Agnelli in Turin befindet sich eine Folge mit der Geschichte Trojas aus dem Ende des 16.Jahrhunderts, die in den äusserst produktiven Ateliers von Oudenarde gewirkt worden ist [16].

Im 17.Jahrhundert ist es u.a. Martin Reynbouts, der mehrere Folgen mit Troja-Themen verfertigt hat. So gibt es von ihm sieben Teppiche in einer schwedischen Privatsammlung, und zwei, aus einer Folge grösseren Formats, im Palais March in Palma de Mallorca. Vier

---

[12] J.-P.Asselberghs, Les Tapisseries tournaisiennes de la Guerre de Troje. Avec une mise au point de G.Souchal: Charles VIII et la Tenture de la Guerre de Troie. Artes Belgicae Bruxelles, Musées royaux d'Art et d'Histoire 1972.

[13] Die literarischen Quellen übersichtlich bei M.R.Scherer, The Legends of Troy a.a.O. S.219 ff. – Vgl. auch J.-P.Asselberghs, Les Tapisseries tournaisiennes de la Guerre de Troje a.a.O. S.5.

[14] J.-J.Guiffrey, Histoire générale de la tapisserie en France. Paris 1885, S.339.

[15] Les Tapisseries flamandes de la Cathédrale de Zamora a.a.O. Kap.VIII.

[16] Ebenda. – Ausserdem: M. e V.Viale, Arazzi e Tappeti Antichi. Torino 1952, S.56 Nr.47.

Trojateppiche befanden sich zu Beginn dieses Jahrhunderts in der Sammlung Ffoulke [17]. Wenn man sich später auch mehr für die Geschichte Achills zu interessieren begann – Rubens entwarf eine solche Folge –, so hielten sich doch die trojanischen Themen noch lange.

Von den Brüsseler Folgen mit Bordüre «fonds jaune à fleurs, fruits et figures» gruppiert Asselberghs die älteren um ein Stück von etwa 1570 im Bayerischen Nationalmuseum in München:

1. *Die Trojaner nehmen das hölzerne Pferd in Besitz.* Höhe 350 cm, Breite 260 cm. Laut Meistermarke seitlich rechts unten Werkstatt des Frans Geubels, tätig etwa 1540 bis etwa 1590 [18] (Abb. 7).

Was die Darstellung im Bildfeld betrifft, so findet sich hier, wenn auch insgesamt in ruhigerem und statischerem Duktus, dieselbe kompositorische Gliederung: vordere Bodenblumen, dominierende hohe Figuren im Vordergrund und Gruppen, die sich, mit grosser Tiefenwirkung, nach hinten perspektivisch verkleinern, oben Architektur, Bäume, Landschaft und Himmel. Bei den Kriegern Ähnlichkeit im Physiognomischen und im Kostüm, ebensolche bei den Bodenblumen.

Die Bordüre dieses Teppichs enthält eine Reihe von Elementen aller nachfolgend als verwandt genannter Teppiche, so sitzende und stehende weibliche Allegorien in Pergola-Bogenarchitektur, in Fahrzeugen mit ähnlichen Pferde- und Adlergespannen (Abb. 6), mit Frucht-, Blatt- und Blumenwerk, auch die begleitenden schmalen Randstreifen mit Flechtband, die aber hier z. T. überschnitten werden, alles in etwas anderer Anordnung und Ausführung als auf unserem Teppich und ohne obere Inschrifttafel. So mag die Folge, zu der der Münchner Teppich gehörte, am Anfang auch der Folge stehen, zu der unser Teppich gehörte.

Aus derselben Zeit, von ähnlicher Durchführung, so dass ein und dieselbe Kartonfolge dazu möglich scheint, stammen die folgenden Stücke [19]:

2. *Brand Trojas und Gefangennahme seiner Bewohner.* Höhe 352 cm, Breite 444 cm. Burgos, Kathedrale [20] (Abb. 8).

Die figürlichen, landschaftlichen und architektonischen Elemente des Bildfeldes sind dem des oben genannten Münchner Teppichs mit dem trojanischen Pferd verwandt, doch

---

[17] The Ffoulke Collection of Tapestries. New York 1913, S. 57 The Trojan War. Frdl. Hinweis von EDITH STANDEN.

[18] Inv. Nr. T 3789 Neg. Nr. 2593. – Vgl. H. GÖBEL, Wandteppiche a. a. O. 1. Teil Bd. I S. 317.

[19] J.-P. ASSELBERGHS, Les Tapisseries flamandes de la Cathédrale de Zamora a. a. O. Kap. VIII.

[20] L. FAURE, Vlaamse Wandtapijten in Spanje. De verzameling te Burgos. In: Handelingen van het XXII de Vlaamse Filologen-Congres, Gand 1957, S. 342–347.

Abb. 7. Das trojanische Pferd. Brüssel, Werkstatt des Frans Geubels um 1570. Wirkerei. München,
Bayerisches Nationalmuseum.

Abb. 8. Brand Trojas und Gefangennahme seiner Bewohner. Brüssel, drittes Viertel des 16. Jahrhunderts.
Wirkerei. Burgos, Kathedrale.

stammen die beiden Stücke nicht von derselben Folge. Die Bordüre ist ähnlich, aber nicht gleich, mit sitzenden und fahrenden allegorischen Figuren, die ziehenden Adler- und Pferdegespanne spiegelverkehrt, Ranken- und Blumenwerk, beidseitig der Bordüre schmale Flechtbandstreifen, die zum Teil überschnitten sind, ohne Titelinschrift.

3. *Helena, von Priamos empfangen.* Aufenthalt unbekannt, Verkauf London 1937[21] (Abb. 9).

Bordüre mit oberer Inschrifttafel, die von Rollwerk mit Maskarons umrahmt ist, und mit sitzenden und fahrenden allegorischen Gestalten. Die Flechtband-Randstreifen stark

[21] Laut J.-P. ASSELBERGHS veröffentlicht im Inseratenteil des Burlington Magazine März 1926.

überschnitten, Adler- und Pferdegespann wie auf dem Burgos-Teppich (Nr. 2) gegenüber dem Münchner (Nr. 1) und unserem Teppich seitenverkehrt.

4. *Entführung der Helena*. Höhe 350 cm, Breite 330 cm. Offensichtlich keine Metallfäden. Monogramm rechts unten G. B. Stadtmarke Brüssel BB mit Schild. Ehemals bei G. Salvadori, Florenz. Aufenthalt unbekannt (Abb. 10).

Vente Moreau-Nélaton, Galerie G. Petit, Paris, 11. Mai 1900[22]. – Sales Parke-Bernet, New York 21./22. Oktober 1955. Kat. Nr. 388. Monogramm darin als des Jakob Geubels d. Ä. von Brüssel, 1585–1605, gedeutet. – Bei Dehoux Paris, rue des Saints-Pères, 4. Mai 1956[23].

Architektur und Perspektive sind ähnlich; die Szenen am Rundtempel gleichen denen im Burghof unseres Teppichs. Hinsichtlich Bordüre kommt das Stück dem unsrigen in Aufbau und Reihenfolge am nächsten. Die Inschrifttafel, von Rollwerk mit Maskarons umrahmt, wird aber nicht von Putten gehalten. Statt der FIDES je eine stehende CARITAS und TEMPERANTIA unter Pergolabogen auf Konsole an den Seiten, darüber und darunter die charakteristischen Voluten. Unten die beiden in Fahrzeugen sitzenden Gestalten des Jupiter als SOL und der Diana als LVNA, die von den gleichen zwei Gespannen gezogen werden, links von Pferden mit sich umwendendem reitendem Putto, rechts von dem Adlerpaar (Abb. 6). Dieselben schmalen, mit Blumen besteckten Flechtbandstreifen, allerdings auch hier vielfach überschnitten, begleiten die Bordüre aussen und innen. Die Bordürenunterschiede gegenüber unserem Teppich könnten auf die kürzere Breite des Helena-Teppichs zurückzuführen sein. Statt des ovalen Mittelmedaillons zwischen sitzenden allegorischen Frauenfiguren sitzt lediglich eine einzige asymmetrisch in der Mitte. Solche Unterschiede und das andere Höhenmass (Helena-Teppich H. 350,75 cm, unser Teppich H. 390 cm) lassen auf zwei verschiedene Repliken derselben Folge schliessen. Eine Nachprüfung der Farben war nicht möglich, weil der heutige Aufenthalt des Helena-Teppichs nicht ermittelt werden konnte.

5. *Agamemnon verteilt den siegreichen Griechen die Kriegsbeute.*
Höhe 445 cm, Breite 530 cm. Aufenthalt unbekannt. Ehemals Sammlung Polovtseff, Vente Drouot, Paris, 27. Mai 1910, Nr. 137. – Sales Andersen Galleries, New York, 22./24. März 1934, Nr. 624 (Abb. 11).

---

[22] Damals der Werkstatt des J. Cobus zugeschrieben, offensichtlich irrtümlich. Frdl. Mitteilung von Prof. JEAN DUVERGER, Gent, vom 25. Oktober 1972.

[23] Das Monogramm G. B. ist Prof. Duverger nicht bekannt (ebenda). Für Hinweise auf diesen Teppich dankt der Verfasser ferner EDITH STANDEN, MARGARET ATKINSON von Sotheby-Parke Bernet in New York sowie JEAN-PAUL ASSELBERGHS †. – Der Teppich weist eine gewisse Verwandtschaft mit einem Simson-Teppich, vermutlich von Frans Geubels, H. 285 cm, Br. 253 cm, gekauft 1963, im Schloss Kronborg in Dänemark auf. Vgl. Kronborg. Das Schloss und die königlichen Säle. Vorwort von A. LETH. Kopenhagen 1972, Nr. 48. – Auch mit dem Scipio-Masinissa-Teppich in Boston (s. S. 252) besteht Verwandtschaft.

Abb. 9. Helena von Priamos empfangen. Brüssel, drittes Viertel des 16. Jahrhunderts.
Aufenthalt unbekannt (nach Reproduktion).

Bordüre mit oberer dreizeiliger Inschrifttafel, Rollwerk und Maskarons wie auf dem New
Yorker Helena-Teppich (Nr. 4). Adler- und Pferdegespann wie auf dem Burgos-Teppich
(Nr. 2) und dem Priamos-Helena-Teppich (Nr. 3), im Unterschied zum New Yorker
Helena-Teppich und dem Stück der Abegg-Stiftung seitenverkehrt. Unten statt des Mit-
telmedaillons Blumenwerk mit Voluten, flankiert wie unser Teppich von SPES und
PRVDENCIA. Prof. Jean Duverger, Gent, bemerkt zum Agamemnon- und zum New

Abb. 10. Entführung der Helena. Brüssel, drittes Viertel des 16. Jahrhunderts. Wirkerei.
Aufenthalt unbekannt (nach Reproduktion).

Yorker Helena-Teppich: «Les deux pièces appartiennent donc à une réplique de la tenture dont votre tapisserie faisait part[24].»

Einige dieser Kompositionen werden, teils verändert, zu Beginn des 17. Jahrhunderts in den Manufakturen des Cornelius und Heinrich Mattens wieder aufgenommen. Davon

[24] Briefliche Mitteilung vom 25. Oktober 1972.

zeugen fünf Teppiche im Virginia Museum of Fine Arts in Richmond (USA) und einer in den Musées Royaux d'Art et d'Histoire in Brüssel, der gleichfalls die *Entführung Helenas* darstellt [25].

WEITERE VERWANDTE TEPPICHE

Auch ausserhalb des Troja-Themas befindet sich unser Teppich in zahlreicher Nachbarschaft. So haben einzelne Figuren ihre z. T. wörtlichen Entsprechungen auf andern Brüsseler Wandteppichen, die auf denselben Entwerfer zurückgeführt werden mögen.

Voran steht hier eine Folge zur Geschichte des Scipio Africanus im zweiten punischen Krieg, nach Livius u.a., von der fünf Stück erhalten sind. Davon befinden sich zwei Teppiche im Berliner Kunstgewerbemuseum im Schloss Charlottenburg, einer im Kunstgewerbemuseum Köln, zwei im Fine Arts Museum in Boston, alle fünf mit gleicher Bordüre, mit Stadtmarke Brüssel und/oder der noch ungedeuteten Marke C.T., liiert und durch drei kleine Sterne ergänzt.

Die drei in Deutschland befindlichen Stücke waren aus Besitz de Stuers an die Galerie Fischer, Luzern gelangt, wo sie im Auktionskatalog Oktober 1941 unter Nr.361 im Katalog figurierten und wegen der Meistermarke C.T., Göbel folgend, dem Corneille Tseraerts, Mitte des 16.Jahrhunderts, zugeschrieben sind [26]. Sie wurden an der Auktion selbst nicht verkauft, sondern gelangten 1942 von Fischer ins Dritte Reich. Nach dem Krieg wurden sie von der Regierung der Bundesrepublik in den zwei genannten deutschen Museen als Dauerleihgaben deponiert [27].

Von den zwei Teppichen in Berlin zeigt der eine die *Grossmut des Scipio,* der andere die *Gefangennahme des Syphax,* die das Schlachtfeld bei Cirta in Nordafrika mit Kämpfer, Gefallenen, Fliehenden wiedergibt [28] (Abb.12). In Bildmitte links im Vordergrund ein gross aus-

---

[25] J.-P. Asselberghs, Les Tapisseries flamandes de la Cathédrale de Zamora a. a. O. Kap. VIII. Zu den beiden Mattens, von denen es auch eine Scipio-Folge gibt, vgl. H. Göbel a. a. O. 1. Teil Bd. I S. 369. Ferner sind aus der Manufaktur des Cornelius Mattens vermutlich die Teppiche mit Darstellungen aus dem Buche Josua, Serie XIX im Kunsthistorischen Museum Wien (vgl. E. Ritter von Birk, Inventar der im Besitze des Allerhöchsten Kaiserhauses befindlichen Niederländer Tapeten und Gobelins. Jahrbuch der kunsthistorischen Sammlungen des Allerhöchsten Kaiserhauses 1. Band, Wien 1883, S. 231. Ferner H. Göbel a. a. O. 1. Teil Bd. II Abb. 322.)

[26] Dieser Vorschlag, auf H. Göbel zurückgehend, ist von M. Crick-Kuntziger widerlegt worden. Vgl. M. Crick-Kuntziger, Marques et Signatures des tapisseries bruxelloises. Annales de la Société royale d'Archéologie de Bruxelles, Bd. XL, 1936, S. 166–183

[27] Freundliche Mitteilungen von Dr. Paul Fischer, Luzern, und Museumsdirektor Prof. F. A. Dreier, Berlin

[28] Inv. Nr. FV 12 und FV 13. H. 353 cm, Br. 424 cm. Veröffentlicht in: Europäisches Kunsthandwerk vom

Abb. 11. Agamemnon verteilt den siegreichen Griechen die Kriegsbeute.
Brüssel, drittes Viertel des 16. Jahrhunderts. Wirkerei.
Aufenthalt unbekannt (nach Reproduktion).

schreitender behelmter Römer, dessen vorgestreckte Rechte ein gebogenes Schwert auf-
recht hält, er dringt auf den Numiderkönig Syphax ein, der an Krone, Turban und der
Namensinschrift am Gewandsaum kenntlich ist, während im Hintergrund links in be-
kränztem Helm, mit Schild und Schwert, Scipio herbeistürmt. Der römische Krieger des
Vordergrundes nun ist dem Grosskrieger auf unserem Teppich formal nächstverwandt.
Gesicht, Helm, die knorpelige Nase, der kurze, gebauschte Rock, am meisten der ausgrei-

Mittelalter bis zur Gegenwart. Neuerwerbungen 1959–1969, Berlin 1970, Nr. 53, 2 Abbildungen. Für
Hinweise dankt der Verfasser Museumsdirektor Prof. Dr. F. A. DREIER und Konservator Dr. BARBARA
MUNDT.

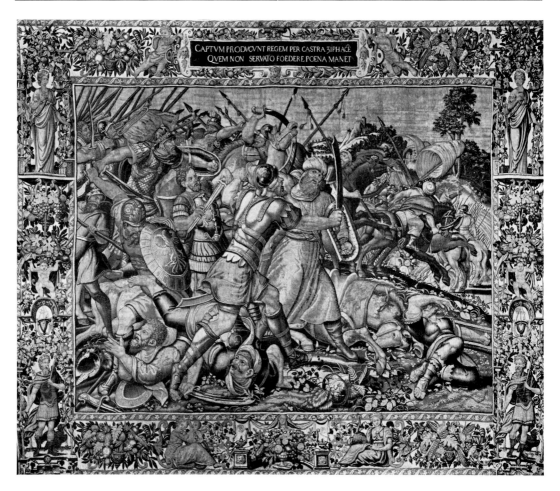

Abb. 12. Gefangennahme des Syphax. Aus einer Scipio-Folge, Brüssel, Marke C.T., zweite Hälfte des 16. Jahrhunderts. Wirkerei. Berlin, Kunstgewerbemuseum.

fende Schritt, Beine, Schienen, Sohle – sein «Stellenwert» im Getümmel, alles deutet auf den gleichen Entwerfer (Abb. 1, 12, 17).

Dr. Barbara Mundt kommentiert diesen Teppich u. a. wie folgt: «Von 1532 an wurden für Franz I. von Frankreich in Brüssel 22 Teppiche mit Szenen aus dem Leben des Scipio nach Zeichnungen von Raffaelschülern, vermutlich Gianfrancesco Penni und Giulio Romano, gewebt[29]. Einige Kartons dazu sind erhalten. Die Teppiche wurden 1797 ihres

[29] Vgl. LE COLONEL D'ASTIER, La belle Tapisserye du Roy (1532–1797) et les Tentures de Scipion l'Afri-

Abb. 13. Gefangennahme des Syphax. Reproduktion aus dem *Subject Catalogue of Tapestries* von Marillier,
London, Victoria & Albert-Museum, S. 94.

Goldgehaltes wegen verbrannt. Sie sind jedoch im 16. und 17. Jahrhundert in einer nicht
zu übersehenden Zahl wiederholt worden, wobei die ursprünglichen Zeichnungen abge-
wandelt, die Sujets verändert und bereichert wurden. Die *Grossmut des Scipio* ist bereits
eines der Themen der ersten Serie gewesen. Aus mehreren späteren Serien ist es erhalten,
dabei jedesmal verschieden gefasst. Unser Teppich lehnt sich vage an das Kompositions-
schema und an verschiedene Motive jener Fassung an. Die Szene mit der Gefangennahme des Syphax dagegen kommt in keiner andern publizierten Scipiofolge vor [30].»
Im handschriftlichen *Subject Catalogue of Tapestries* von Marillier, den das Victoria and
Albert Museum aufbewahrt und freundlich zugänglich hält [31], findet sich die Abbildung

cain, Paris 1907, pl. VI, XXIV, XXVII, XXIX. – W.G. THOMSON, A History of Tapestry from the Ear-
liest Times until the Present Day. London (revised edition 1930), S. 201 f.
[30] Vgl. Anm. 28.
[31] Seite 94 des MARILLIER-Katalogs. Für die Dokumentation aus diesem Nachschlagewerk dankt der Verfasser
DONALD KING vom Victoria and Albert Museum in London.

eines bis auf die Bordüre und Landschaft, die verschieden sind, in Komposition und Hauptfiguren ganz ähnlichen Scipio-Teppichs ohne Inschrift mit demselben Thema *Gefangennahme des Syphax*, den Marillier mit Fragezeichen dem Martin Reymbouts (sic) zuweist (Abb. 13). Beide Teppiche gehen auf denselben Entwurf zurück. Laut Marillier stammte er, zusammen mit einem Teppich, *Scipio gibt Massius die Waffen zurück*, aus der Auktion Graf Kavatsonyi und Graf Karolyi in Budapest 1930. Im Marillier-Katalog figuriert dieser zweite Teppich sogar in vier Varianten, alle versuchsweise Martin Reymbouts zugeschrieben [32]. Der dritte der 1941 von Fischer nach Deutschland verkauften Teppiche mit Wirkermarke C.T., der heute im Kölner Kunstgewerbemuseum aufbewahrt wird, zeigt gleichfalls die Szene: *Scipio gibt Massius die Waffen zurück* [33].

Zwei weitere Scipio-Teppiche derselben Folge, mit gleicher Marke, befinden sich also im Museum of Fine Arts in Boston, die mit den andern Tapisserien dieses Instituts von Adolph S. Cavallo vorbildlich publiziert worden sind [34], nämlich

Nr. 29 *Scipio rettet seinen Vater in der Schlacht am Tessin*, Höhe 351 cm, Breite 511 cm [35] (Abb. 14), und

Nr. 30 *Scipio klagt Masinissa an*. Höhe 349 cm, Breite 255 cm [36]. Stadtmarke Brüssel, die Meistermarke zeigt das liierte Monogramm CT wie bei den drei vorerwähnten Scipio-Teppichen in Deutschland, Marke, die von Göbel und Dora Heinz dem Corneille Tseraerts zugeschrieben wird [37]. Marthe Crick-Kuntziger hat aber, wie erwähnt, die Marke des Corneille Tseraerts als durchaus verschieden von den bei Göbel und Heinz gezeichne-

---

[32] MARILLIER-Katalog S. 93. – Reynbouts hatte auch Troja-Teppiche gefertigt, vgl. H. Göbel a.a.O. 1. Teil Band I S. 333: «1615 bezieht Meister Reynbouts 2908 Liv. für eine aus acht Teppichen bestehende Reihe der Geschichte Trojas. Der Einheitspreis ist mit 13 Liv. angesetzt. Metallfäden sind nicht verwandt.» Vgl. ebenda S. 332. Auch eine Folge Scipio Africanus in Madrid ist von M. Reynbouts überliefert, vgl. H. GÖBEL a.a.O. S. 333. Er verfügte offensichtlich über die Entwürfe, die auch dem Berliner Teppich zugrunde liegen.

[33] Köln, Kunstgewerbemuseum, Inv. Nr. 6418, Dauerleihgabe der Bundesrepublik. Dort als Jakob Tseraerts, Brüssel 1575, katalogisiert. Rheinisches Bildarchiv Photo Nr. 123838. Für freundliche Vermittlung sei Museumsdirektor Dr. BRIGITTE KLESSE und Frau Dr. E. REIFF, Leiterin des Bildarchivs, gedankt.

[34] A.S. CAVALLO, Tapestries of Europe and of Colonial Peru in the Museum of Fine Arts. Boston, Mass., Museum of Fine Arts 1967.

[35] Ebenda a.a.O. Nr. 29, Acc. no. 19.60.

[36] Ebenda Nr. 30, Acc. no. 19.59. – Ein dritter Scipio-Teppich in Boston, Nr. 31, Acc. no. 04.279, Beratung zwischen Scipio und Hannibal vor der Schlacht von Zama, H. 373 cm, Br. 457 cm, stammt von einer andern Folge. Dessen Marke gehört laut M. CRICK-KUNTZIGER a.a.O. S. 180 dem Nicaise Aerts, sie wird von H. GÖBEL a.a.O. 1. Teil Band 1, Tafel der Marken 5, und D. HEINZ, Europäische Wandteppiche I, Braunschweig, Klinkhardt und Biermann 1963, S. 338, gleichfalls frageweise dem Corneille Tseraerts zugeschrieben.

[37] H. GÖBEL a.a.O. 1. Teil Band I, Tafel der Marken 5. – D. Heinz a.a.O. S. 337.

ten nachgewiesen [38]. Corneille Tseraerts scheidet damit auch für unseren in so vielen Einzelheiten ähnlichen Troja-Teppich aus.

Adolph S. Cavallo weist die These zurück, dass Francesco Primaticcio die Entwürfe zu jener Scipio-Folge von 22 Teppichen, die zwischen 1532 und 1535 für König Franz I. hergestellt wurde und auf die alle übrigen zurückgehen dürften, gemacht oder überwacht habe. Von der Folge, die 1797 verbrannte, gibt es keine bildliche Überlieferung, dafür im Louvre 15 Zeichnungen, Giulio Romano oder seiner Schule zugeschrieben, in denen man Entwürfe zu dieser verbrannten Folge vermutet hat, dazu einige Zeichnungen in anderen Sammlungen [39]. Dann gibt es Scipio-Folgen, die man gleichfalls nach den Entwürfen der für Franz I. gewirkten verlorenen Scipio-Folge gefertigt vermutet [40], die frühesten von etwa 1544 [41] und etwa 1550 [42].

Der *Masinissa*-Teppich gehört nicht zu den 22 Sujets für Franz I.; er figuriert auch nicht auf den Zeichnungen von Giulio Romano oder dessen Schülern und nicht in den erwähnten frühen Folgen. Er hat mit der Giulio Romano-Schule nichts zu tun.

Im *Tessin*-Teppich erscheinen wieder zwei Figuren von grosser Ähnlichkeit mit solchen auf unserem Troja-Teppich. Einmal der von rechts nach links gross ausschreitende Krieger mit erhobenem Schild, dann der am Boden liegende Kämpfer, gleichfalls mit Schild im Arm, in der linken Ecke, mit Kopf am untern Bildrand (Abb. 14), beide nicht gleich, aber nach gleichen Gesichtspunkten entworfen. Die Bordüren der Scipio-Teppiche sind ebenfalls nicht gleich, aber mit vielen Ähnlichkeiten. Cavallo berichtet, dass das Tessin-Sujet in der oben erwähnten Scipio-Folge von etwa 1550, aber nicht in den Zeichnungen vorkomme, dass die Komposition zwar verschieden sei, aber doch wohl auf diejenige der Folge von 1550 zurückgehe.

Cavallo datiert die drei Bostoner Teppiche in die zweite Hälfte des 16. Jahrhunderts oder in das erste Viertel des 17. Jahrhunderts und schreibt, ein Duplikat des Masinissa-Teppichs im Musée du Cinquantenaire in Brüssel werde von M. Crick-Kuntziger in die zweite Hälfte des 16. Jahrhunderts datiert. S. G. F. Townsend datiert den Masinissa- und den Tessin-Teppich in die Mitte des 16. Jahrhunderts [43]. Sie haben keine Metallfäden.

Die Scipio-Kompositionen wurden seit der ersten Folge von 1532 bis ins 17. Jahrhundert viele Male wiederholt [44]. Die Bordüre der Bostoner Teppiche entspricht den Bordüren der

---

[38] M. CRICK-KUNTZIGER a. a. O. S. 181

[39] C. D'ASTIER a. a. O. S. 27 f., 67 et passim

[40] A. S. CAVALLO a. a. O. S. 110

[41] C. D'ASTIER a. a. O. S. 146 ff.

[42] A. S. CAVALLO a. a. O. S. 110

[43] S. G. F. TOWNSEND, A recent Accession of Tapestries. Bulletin of the Museum of Fine Arts, Boston, XVII, Nr. 103, Oktober 1919, S. 52

[44] C. D'ASTIER a. a. O. S. 113 et passim

zweiten Hälfte des 16. Jahrhunderts, die aber auch später wiederholt worden sein können. Zweifellos befinden wir uns mit unserem Troja-Teppich in grosser Nähe zu den Scipio-Teppichen in Berlin, Köln und Boston, im nächsten Umkreis des noch ungedeuteten Meisters C. T.

Fahnden wir nach weiteren mit unserem Stück verwandten Teppichen, so stossen wir auf die Darstellung *Perseus und Bellerophon,* die als Eigentum des Museo Castello Sforzesco im Palazzo Marino, dem Sitz des Bürgermeisters von Mailand, hängt. Höhe 360 cm, Breite 460 cm. Drittes Viertel des 16. Jahrhunderts, Stadtmarke Brüssel, nocht ungedeutete Meistermarke ⚓ [45].

Darauf sehen wir wiederum den gross Ausschreitenden, diesmal von rechts nach links (Abb. 15). Die Bordüre weist mit der unsern Ähnlichkeiten auf, so die Pergola-Bögen, die Allegorien in Fahrzeugen mit Adler- und Pferdegespannen, weiter die SPES und die PRVDENCIA Mitte unten, die Inschrifttafel mit Rollwerk und Maskarons. Am ähnlichsten ist sie aber der Bordüre des Agamemnon-Teppichs S. 245, Nr. 5 (Abb. 11).

Mercedes Ferrero Viale hat diesen Teppich veröffentlicht, Marcel Roethlisberger ihn mit verwandten Stücken gleicher Marke in Zusammenhang gebracht, hinsichtlich Bordüre das Atelier von Frans Geubels genannt, insbesondere den auf S. 242 (Abb. 7) aufgeführten Münchner Teppich mit trojanischem Pferd, der die Marke von Frans Geubels trägt [46]. In der Wiener Gobelinsammlung wird eine Anzahl weiterer Folgen aufbewahrt, mit derselben Meistermarke ⚓ des Perseus-Teppichs und mit Einzelähnlichkeiten. So auf der Folge LXXII, «Szenen aus dem Leben Alexanders des Grossen», die ovalen Mittelmedaillons der unteren Bordüre [47]; auf der Folge XI der «Zwölf Monate» – hier besonders Nr. 8, «August» – ebenda die runden Medaillons mit Braun-in-Braun-Szenen und Putten zu beiden Seiten der Inschrifttafel oben, die den Putten unseres Teppichs gleichen [48]. Auf einer zweiten Alexander-Folge LXXIII, mit anderem Monogramm, zeigt Teppich 6, *Kampf gegen das Heer des Königs Porus von Indien,* unsern gross ausschreitenden Behelmten in

[45] H. GÖBEL a. a. O. 1. Teil Band I, Tafel der Marken 6 – D. HEINZ a. a. O. S. 338. Weitere Teppiche mit derselben Meistermarke in Wien, Florenz und München vgl. H. GÖBEL a. a. O. 1. Teil Band I, Tafel der Marken 6.

[46] M. e V. VIALE a. a. O. S. 56 Taf. 48. – M. ROETHLISBERGER, Deux tentures bruxelloises du milieu du XIVᵉ siècle. Oud-Holland 1971, Nr. 2/3 S. 113, Abb. 31. Hinsichtlich der Meistermarke liegt bei RÖTHLISBERGER eine Verwechslung vor; die Marke ist, rechts beschnitten, diejenige der oben genannten Wiener Teppiche, vgl. Anm. 45. Der Verfasser dankt MERCEDES FERRERO VIALE und MARCEL RÖTHLISBERGER für freundliche Hinweise in diesem Zusammenhang.

[47] E. v. BIRK a. a. O. 2. Band 1884 S. 184 Serie LXXII. – L. BALDASS, Die Wiener Gobelinssammlung. Wien 1920 Taf. 68. – Für Auskünfte betr. die Wiener Teppiche und Beschaffung von Photographien dankt der Verfasser Frau DR. ROTRAUD BAUER, Kunsthistorisches Museum Wien.

[48] E. v. BIRK a. a. O. 1. Band 1883 S. 225. – L. BALDASS, Die Wiener Gobelinssammlung a. a. O. Taf. 126.

Abb. 14. Scipio rettet seinen Vater in der Schlacht am Tessin. Brüssel, Marke C.T.,
zweite Hälfte des 16. Jahrhunderts oder erstes Viertel des 17. Jahrhunderts.
Wirkerei. Boston, Museum of Fine Arts.

gebauschtem kurzem Leibrock, wie auf dem Perseus-Teppich von rechts nach links[49]
(Abb. 18 rechts).

Wieder von rechts nach links ausschreitend treffen wir ihn auf einer *Schlacht am Issus* mit
Monogramm Frans Geubels, einem von drei Teppichen einer Alexander-Folge, die sich
im Gebäude der RAI (Radiotelevisione Italiana) in Rom befinden[50].

Ein weiteres Mal finden wir ihn auf einem Brüsseler *Jagdteppich* des 16. Jahrhunderts aus
der Sammlung Philippe Wiener[51]. Gewiss liessen die Beispiele sich noch vermehren.

[49] E. v. BIRK a. a. O. 2. Band 1884 S. 186.
[50] M. FERRERO VIALE, Tapisseries inédites en Italie. Artes Textiles VII 1971 S. 47 Abt. 1. Frdl. Mitteilung
der Verfasserin.
[51] Hernach Galerie J. Seligmann, Paris. Veröffentlicht von A. DE H. im Pantheon IV 1929 S. 308.

Abb. 15. Perseus und Bellerophon. Brüssel, drittes Viertel des 16. Jahrhunderts. Wirkerei.
Mailand, Museo Castello Sforzesco, dep. im Palazzo Marino.

Wenn wir uns hier auch nicht mehr in solcher Nähe zu unserem Teppich befinden wie
bei den Scipio-Teppichen in Berlin, Köln und Boston, so gibt es doch Gemeinsamkeiten
auf Grund von Übernahmen aus Entwürfen. Zu nennen sind hier zwei Ausfertigungen
vom *Tod Sauls,* die eine, um 1560, aus der Stuttgarter Manufaktur des Jakob de Carmes
in unbekanntem schwedischem Privatbesitz, die andere, von Göbel um die Mitte des
16. Jahrhunderts datiert, aus desselben Brüsseler Manufaktur in der Wiener Gobelinsammlung, beide nach Entwurf des Nikolaus van Orley[52]. In ihnen sind Verteilung,
Vordergrundfiguren, Tiefenwirkung, Fahnengewoge und die parallelen schrägen Speere

---

[52] H. Göbel a. a. O. 1. Teil Band I S. 405, 417; Band II Taf. 380, 381. Freundliche erste Hinweise von Edith
Standen.

Abb. 16. Tod Sauls. Brüssel, Werkstatt des Jakob de Carmes nach Entwurf des Nicolaus van Orley, Mitte des 16. Jahrhunderts. Wirkerei. Wien, Kunsthistorisches Museum.

unseres Teppichs vorweggenommen (Abb. 16). Das gleiche Monogramm des Nikolaus van Orley trägt die Folge LXIX, *Szenen aus dem Leben Davids,* nach Buch I der Könige (Samuel) in der Wiener Gobelinsammlung. In Teppich 2 dieser Folge, *David wird von Saul zum Kampf gegen Goliath gerüstet,* bemerken wir, zwar etwas statischer, vertikaler, kostümlich und perspektivisch alle Elemente unseres Teppichs in meisterlicher Beherrschung verwendet[52a].

Endlich macht mich Edith Standen auf den Brüsseler Teppich einer *Schlacht zwischen Römern und Sabinern* aus dem späten 16. Jahrhundert im Metropolitan Museum of Art in New York aufmerksam, auf dem ein die untere linke Ecke füllender Gefallener, mit Kopf nach unten, ein Bruder des Gefallenen in der Ecke rechts unten auf unserem Teppich ist (Abb. 19 links). Edith Standen hält das Monogramm darauf für dasjenige des Nikolaus van Orley[53].

[52a] E. v. BIRK a. a. O. 2. Bd. 1884 S. 182.

[53] Inv. Nr. 42.56.2, Neg. Nr. 127686. EDITH STANDEN gedenkt diesen Teppich mit zwei andern bekannten Stücken derselben Folge zu veröffentlichen. Ein viertes Stück, Raub der Sabinerinnen, befand sich 1874 in Paris, ist heute an unbekanntem Standort.

ZUSAMMENFASSUNG

Fassen wir zusammen, was wir an Teppichen kennen, die zu unserm Troja-Teppich in naher Beziehung stehen, nachdem sich solche der gleichen Folge, mit derselben Höhe von 390 cm, nicht gefunden haben. In der Welt zerstreut und zum Teil mit unbekanntem Standort, nur aus Abbildungen von Auktionen bekannt, gibt es sechs Teppiche mit der Geschichte Trojas, die zur gleichen Familie gehören:

a) *Entführung der Helena* (S.245 Nr.4, Abb.10)
b) *Helena von Priamos empfangen* (S.244 Nr.3, Abb.9)
c) *Die Trojaner nehmen das hölzerne Pferd in Besitz* (S.242 Nr.1, Abb.7)
d) *Eroberung Trojas* (unser Teppich, Abb.1)
e) *Brand Trojas und Gefangennahme seiner Bewohner* (S.242 Nr.2, Abb.8)
f) *Agamemnon verteilt den siegreichen Griechen die Kriegsbeute* (S.245 Nr.5, Abb.11)

Alle sechs Teppiche weichen in der Bordüre nur wenig voneinander ab, die unten in den Doppelgespannen von Adlern und Pferden ihr besonderes Kennzeichen hat. Mit Ausnahme des Münchner Teppichs weisen alle den schmalen blumenbesteckten Flechtbandstreifen beidseitig entlang der Bordüre auf, wobei nur der unsere nicht von der Bildfelddarstellung immer wieder überschnitten wird. (Der Münchner Teppich hat ein eigenes Flechtbandmuster aus Ranken.) Vier von ihnen tragen dieselbe Inschrifttafel, während zwei ohne solche sind. Alle sechs gehen vermutlich auf dieselbe Folge von Entwürfen zurück.

Die Inschriften der vier Teppiche a, b, c und f, also auch diejenige unseres Teppichs (QVO-MODO GRECI EXTINXRINT), fanden sich auch auf vier Stücken einer Folge zu dreizehn Teppichen mit *Geschichte Trojas*, die 1560 in Antwerpen für König Johann III. von Schweden gekauft wurde, als er Herzog von Finnland war, und deren Inschriften in seinem Inventar von 1563 wiedergegeben sind. Die Folge selber existiert nicht mehr. Es wäre kühn zu glauben, der eine oder andere der sechs oben genannten Teppiche käme von ihr. Doch darf man eine nahe Verwandtschaft zwischen ihnen vermuten. Durch das Kaufdatum 1560 wird die Datierung unseres Teppichs ins dritte Viertel des 16.Jahrhunderts erhärtet[54].

Was die Masse betrifft, so weisen die Teppiche b, c und f die gleiche Höhe auf; der *Agamemnon*- und der *Helena-Teppich* aus New York (f und a) sind einander auch sonst am ähnlichsten. Sowohl hinsichtlich Bordüre wie Komposition könnten diese beiden derselben Folge entstammen (Abb.11, 10).

[54] Briefliche Mitteilung von J.-P.Asselberghs vom 19.Juni 1972. Infolge seines Hinschieds liess sich diese Nachricht nicht mehr vor Drucklegung belegen.

Verwandtschaft besteht sodann mit dem *Perseus-Bellerophon*-Teppich in Mailand (s. S.254, Abb.15), dessen Bordüre in vielem mit der des *Agamemnon*-Teppichs übereinstimmt und der die Marke ⚑ (rechts beschnitten) trägt.

Ein weiterer Zusammenhang ist zwischen den *Troja*-Teppichen, insbesondere dem unsern, und der Brüsseler Folge des *Scipio Africanus* des Meisters C.T. zu erblicken, von denen fünf verschiedene Beispiele in den Museen von Berlin, Köln und Boston erhalten und Varianten im Marillier-Katalog in London (s. S.248) nachgewiesen sind, nämlich ein Zusammenhang auf der Ebene der Kartonniers, die vorhandene Entwürfe von Figuren benützten[55]. Die Bordüren der *Scipio*-Teppiche sind anders als die der *Troja*-Teppiche, doch besteht auch in ihnen eine Verwandtschaft der Werkstatt.

Wir haben also Beziehung einerseits mit dem Meister G.B. des New Yorker *Helena*-Teppichs und dem Monogramm ⚑ des *Perseus*-Teppichs anderseits, das auf Folgen in Wien und Florenz und anderswo wiederkehrt (S.254).

Durch den gross Ausschreitenden auf Teppich 6 der Wiener *Alexander*-Serie LXXIII, mit anderm Monogramm, tritt auch dieser Meister in unseren Kreis (Abb.18).

An unserem Teppich fehlt die Marke. Die Werkstatt liegt im Umkreis der oben genannten Stücke: der *Troja*-Teppiche, der *Scipio*-Serie, des *Perseus und Bellerophon*. Die Meister Frans Geubels, vielleicht Jakob Geubels, Jakob de Carmes und der Entwerfer Nikolaus van Orley, die ungedeuteten Monogrammmeister C.T. (Jakob Geubels?) und der Monogrammist ⚑ bezeichnen diesen Umkreis.

Barbara Mundt hat zum Entwerfer der Scipio-Teppiche bemerkt, als solcher komme nur ein flämischer Romanist des fortgeschrittenen 16.Jahrhunderts in Frage, der sich locker an die früheren Teppiche der Raffael-Schule anlehne. Die Webermanufaktur sei bisher nicht identifiziert[56]. Dies gilt auch für unseren Teppich.

Ludwig Baldass und neuerdings Jerzy Szablowski[57] haben den Weg aufgezeigt, den die niederländische Teppichkunst vom Eintreffen der Kartons, die Raffaels Schüler nach dessen Entwürfen zur Apostelgeschichte gefertigt, in der Werkstatt des Pieter van Aalst in Brüssel genommen hat, und wie Barend van Orley als erster niederländischer Tafelmaler

[55] Vgl. H.Göbel a.a.O. 1.Teil Band I S.275: «Gewisse stilistische Abweichungen der Behänge untereinander sind selbstverständlich, sie erklären sich aus der Entstehung der Bildkartons, an denen zahlreiche Hände tätig gewesen sind. Der Begriff ,Gruppe' umfasst die Erzeugnisse einer zu einer Arbeitsgemeinschaft zusammengeschlossenen Schule, deren Geschmack sich im Laufe der Zeit ändert, deren Grundcharakter im wesentlichen der gleiche bleibt.»
[56] Europäisches Kunsthandwerk. Neuerwerbungen Berlin a.a.O. Nr.55.
[57] L.Baldass, Niederländische Tapisserieentwürfe des Romanismus. Jahrbuch der kunsthistorischen Sammlungen in Wien, Neue Folge, Sonderheft 21, Wien, Schroll, 1928 S.247ff. – J.Szablowski, Die flämischen Tapisserien im Wawelschen Schloss zu Krakau. Antwerpen 1972.

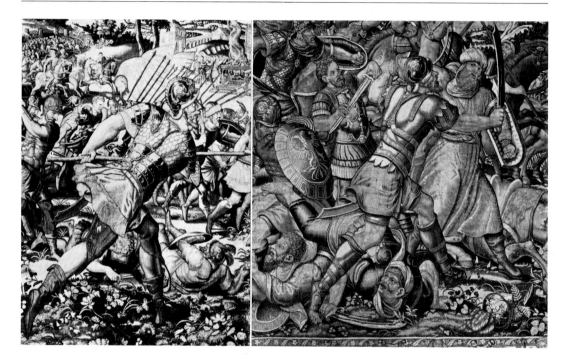

Abb. 17. Ausschreitende Krieger. Links: aus Abb. 1. – Rechts: aus Abb. 12.

zum Entwerfer von Teppichkartons wurde und als solcher am Anfang der Tapisserie-Entwürfe des Romanismus steht. Unter seinen Nachfolgern fand sich auch der Schöpfer der Kartons für die *Genesis*-Teppiche im Wawel-Schloss in Krakau, in dem Szablowski Orleys Schüler Michael Coxie erkennt. Der Weg mündete in den Manierismus der späteren Teppiche aus: «Man gefiel sich in einer chaotischen Anordnung der Gruppen, der Darstellung von Gestalten in heftigster Bewegung, mit übersteigerten Proportionen und eigenwilligen und gekünstelten Formen... Man fand Gefallen an Gestalten und übersteigerten Gesten, phantastischen, überladenen Kostümen, exotischen Gewändern und antik gekleideten Sinnbildern»[58]. Asymmetrischer Aufbau ist ein Charakteristikum, architektonische Motive wie Tempel, Zentralbauten, Kuppeln ein weiteres. Seit Barend van Orley findet man auch die Verbindung zweier verschiedener Kompositionsschemata: einerseits Beibehaltung der Tradition, nacheinanderfolgende Episoden auf einem Bild nebeneinanderzustellen, anderseits die neue Vorstellung von malerischem Raum[59]. Durch die Ein-

[58] Ebenda S. 124.
[59] Ebenda S. 137.

Abb. 18. Ausschreitende Schildträger. Links: aus Abb. 14. – Mitte: aus Abb. 15. –
Rechts: aus dem «Kampf gegen das Heer des Königs Porus». Alexander-Folge LXXIII, Nr. 6.
Brüssel zweite Hälfte des 16. Jahrhunderts. Wien, Kunsthistorisches Museum.

führung der malerischen Raumvorstellung revolutionierte Barend van Orley den Stil der
Brüsseler Manufaktur. Ein Beispiel dafür gibt die *Geschichte des Tobias* in Wien[60].
Nikolaus van Orley gehört zur nächsten Generation; die *Saul-Teppiche* der Brüsseler und
der Stuttgarter Manufaktur des Jakob de Carmes[61], die jene Malweise zeigen, stellen –
so Göbel – ein Schulbeispiel dar, nach dem man Dutzende von Behängen nennen kön-
ne, die den gleichen Stilcharakter tragen (Abb. 16); sie tun dar, dass auch in der zweiten Hälfte des 16. Jahrhunderts in Brüssel nach einem einheitlichen System gearbeitet
worden und grössere Ateliers im Gang gewesen seien, die die massenhaft verlangten
Patronen erzeugten[62].
Die Bordüren stimmten dabei häufig nicht mit dem Stilcharakter der Bilddarstellungen
überein; erstere waren von vielen Faktoren, von Bestellerwünschen, vorhandenen Mitteln, Raumgrösse, auch von der Disponibilität der Kartons abhängig, weshalb man die
Bordürenvergleiche für Rückschlüsse auf Werkstätten nicht überschätzen darf[63]. Immer-
hin lässt sich auf Grund der Bordüren jeweils auf eine gleiche Folge schliessen.

[60] Ebenda S. 137. – E. v. Birk a. a. O. 1. Band 1883 S. 218. – L. Baldass, Die Wiener Gobelinssammlung
a. a. O. Taf. 9.
[61] H. Göbel a. a. O. 1. Teil Band I S. 417. – Band II Taf. 381, 380.
[62] H. Göbel a. a. O. 1. Teil Band II S. 418.
[63] Ebenda.

Abb. 19. Gefallene. Links: aus der «Schlacht zwischen Römern und Sabinern». Brüssel, spätes 16. Jahrhundert. New York, Metropolitan Museum of Art. – Mitte: aus Abb. 14. – Rechts: aus Abb. 1.

Von den römischen Schülern Raffaels, das ist gewiss, kommen die weit ausgreifenden Gebärden, wie sie durch jene auch nach Fontainebleau getragen worden sind[64]. Wie sehr diese eine Mode des Manierismus waren, zeigen die Beispiele gleicher Körperhaltung aus verschiedenen Teppichen (Abb. 17–19), mit denen wir die Betrachtung unseres Troja-Teppichs beschliessen.

HERKUNFT DER ABBILDUNGEN

Abegg-Stiftung Bern (Anne Javor, Karl Buri): Abb. 1–6 – Berlin, Staatliche Museen, Preussischer Kulturbesitz, Kunstgewerbemuseum: 12 – Boston, Museum of Fine Arts: 14 – Brüssel, A.C.I., Parc du Cinquantenaire 1: 9 – Brüssel, Musées Royaux d'Art et d'Histoire: 11 – Photo Club Burgos, Av. Generalisimo Franco 5, Burgos: 8 – London, Victoria and Albert Museum: 13 – Castello Sforzesco di Milano: 15 – München, Bayerisches Nationalmuseum: 7 – New York, The Metropolitan Museum of Art: 10, 17 links – Wien, Kunsthistorisches Museum, Bildarchiv der Österreichischen Nationalbibliothek: 16, 18 rechts.

[64] Vgl. etwa Zeichnungen des Luca Penni genannt Romus † 1556 (des Bruders von Raffaels Fattore Giovanni Francesco Penni), der seit etwa 1530 mit Rosso und Primaticcio in Fontainebleau tätig war; so La Chasse de Diane im Musée des Beaux Arts in Rennes. Vgl. Ausstellungskatalog L'Ecole de Fontainebleau. Grand Palais 1972/73. Paris, Edition des Musées Nationaux 1972 No. 139. Nach Zeichnungen und Stichen der Schule von Fontainebleau (ausser von Luca Penni, dessen Zeichnungen zur Geschichte von Troja im Louvre aufbewahrt werden, etwa auch von Jean Mignon u. a.) gab es auch Szenen aus der Geschichte Trojas auf Emailplatten von Limoges. Vgl. H. ZERNER, Ecole de Fontainebleau. Gravures. Paris 1969.